Autour de nous 9^e

Applied Course   Grade 9

Art Coulbeck

Laura Agro-DeRosa

Marcelle Faulds

Addison Wesley

Une rubrique de Pearson Education Canada

Don Mills, Ontario │ Reading, Massachusetts
Harlow, Angleterre │ Glenview, Illinois │ Melbourne, Australie

Autour de nous 9ᵉ

Directrice de la recherche, du développement et du marketing :
Hélène Goulet

Directrice de l'édition, cycle secondaire : Paula Goepfert

Directrice de la rédaction : Marie Turcotte

Chargées de projet : Laura Jones, Caroline Kloss, Andria Long

Production/Rédaction : Nadia Chapin, Marie Cliche, Tanjah Karvonen

Révisions linguistiques : Édouard Beniak, Pauline Cyr, Elaine Gareau, Suzanne Quinn, Christiane Roguet

Coordonnatrice : Helen Luxton

Conception graphique : Zena Denchik

Couverture : Glenn Ryan

Illustrations : Kevin Cheng, VictoR GAD, Steve MacEachern, Craig Terlson, Tracey Wood

Photographie : Ray Boudreau

ISBN 0-201-70634-2

Imprimé au Canada
Ce livre est imprimé sur du papier sans acide.

A B C D E F   05 04 03 02 01 00

Un merci tout spécial aux élèves : Wendy Ding, Melissa James, Nicole Zaharopoulos, Maegan McIsaac, Alex McCormack et Mohammed Khalfan et au directeur Andrew Hemphill de l'école secondaire *Agincourt Collegiate Institute* à Scarborough, en Ontario.

Les éditeurs ont tenté de retracer les propriétaires des droits de tout le matériel dont ils se sont servis. Ils accepteront avec plaisir toute information qui leur permettra de corriger les erreurs de références ou d'attribution.

Addison Wesley

Révisions pédagogiques

Nous tenons à remercier tout particulièrement Pauline Léonard, Céline Lacroix et les enseignants, enseignantes, conseillers et conseillères pédagogiques pour leurs précieuses contributions à ce projet.

Silvana Carlascio, Huron-Superior Catholic District School Board, St Basil Secondary School, Sault Ste Marie

Wayne Cooper, Trillium Lakelands District School Board, Haliburton Highlands Secondary School, Haliburton

Maureen Cunningham, York Region District School Board, Dr J M Denison Secondary School, Newmarket

Eileen Currie, York Region District School Board, Bayview Secondary School, Richmond Hill

Daniel Dionne, Ottawa-Carleton Catholic District School Board, St Mark's High School, Manotik

Karen Edgar, Thames Valley District School Board, Princess Ann Public School, London

Bob Howard, The Grand Erie District School Board, Pauline Johnson Collegiate, Brantford

Louise Joiner, Limestone District School Board, Napanee District Secondary School, Napanee

Elizabeth Kagazchi, Durham District School Board, Whitby

Nicole De Korte, Halton Catholic District School Board, Burlington

Gail Phillips, Halton District School Board, Burlington

Silvio Rigucci, Ottawa-Carleton Catholic District School Board, St Matthews High School, Orleans

Barbara Scholz, Peel District School Board, Brampton Centennial Secondary School, Brampton

Bryan Smith, Thames Valley District School Board, College Avenue Secondary School, Woodstock

Martha Stauch, Waterloo Region District School Board, Preston High School, Cambridge

Gina Tramonte, York Catholic District School Board, Holy Cross Academy, Woodbridge

Table des matières

unité 1

Bienvenue
sur ma page Web

Dans cette unité, tu vas…

Parler

- de toi-même, de tes intérêts et de tes projets d'avenir;
- de ta routine de tous les jours;
- des ordinateurs;
- des emplois et des carrières.

Découvrir

- comment faire une description;
- comment décrire un matin typique chez toi;
- comment décrire tes projets d'avenir.

Apprendre

- à utiliser des adjectifs irréguliers;
- à utiliser des pronoms réfléchis;
- à utiliser le comparatif et le superlatif;
- à utiliser des pronoms sujets.

La tâche finale

Tu vas créer ta propre page Web.

Allons-y !

Dans ce cours, tu vas rencontrer cinq élèves avec qui tu vas faire des voyages extraordinaires. De plus, ils vont t'aider à faire ton travail médiatique pour ton cours de français.

1. Écoute les cinq élèves parler de leur vie. Indique le nom de chaque élève dans ton cahier.

2. Maintenant, fais l'activité de compréhension dans ton cahier.

3. Avec qui est-ce que tu voudrais communiquer par courrier électronique?

4. Pourquoi?

Melissa Cooper

Dominique Toussaint

Nicole Rossi

Tyler Khan

James Cormier

Bienvenue sur ma première page Web

Avant de lire

- Où est-ce que tu utilises un ordinateur : chez toi ou à l'école?

- Qu'est-ce que tu aimes faire à l'ordinateur?

- Avec qui est-ce que tu aimes communiquer?

- As-tu déjà une page Web personnelle?

- Écoute la conversation entre Melissa et James, puis fais l'activité de compréhension dans ton cahier.

Netsite: _____ Infos connexes

Moi je m'appelle Melissa et j'ai quatorze ans. Je suis sportive. J'adore nager. Nous sommes une famille active, sauf mon frère qui ne bouge jamais. Mais il est créatif et dessine très bien... pas comme moi! Il est gentil avec moi la plupart du temps, mais quelquefois il m'énerve. Il est généreux et il m'aide beaucoup à faire mes devoirs. Ma mère est belle et géniale. Mon père est beau et il aime jouer des tours. J'adore toute ma famille.

Oh! J'ai oublié les animaux! Pitou est un gros chien paresseux. Il dort beaucoup et je crois qu'il a peur des chats. J'ai aussi une gerbille qui s'appelle Nounoune. Elle habite dans une cage dans ma chambre. Je pense que nous donnons trop à manger à Nounoune parce qu'elle est beaucoup plus grosse que les gerbilles de mes amies.

Attention! Quand tu crées une page Web ne donne jamais ton nom de famille, ton adresse, ton numéro de téléphone; ne rencontre jamais en personne quelqu'un qui te contacte par Internet.

Petite galerie de photos *Moi*

As-tu compris?

Réponds **vrai** ou **faux** aux phrases suivantes. N'oublie pas de donner la réponse correcte si la phrase est fausse.

1. Le frère de Melissa est sportif.

2. Le frère de Melissa est généreux.

3. Le père de Melissa a le sens de l'humour.

4. La gerbille de Melissa est plus petite que les gerbilles de ses amies.

As-tu observé?

Les adjectifs irréguliers

1. Tu sais déjà qu'un adjectif doit s'accorder avec le nom qu'il décrit. Normalement, ça veut dire ajouter un *e*, un *s* ou un *es* :

	masculin	féminin
singulier	grand	grand**e**
pluriel	grand**s**	grand**es**

2. Certains adjectifs sont différents! Regarde les exemples suivants tirés de la page Web de Melissa.

masculin	féminin

a) Mon père est beau.　　　Ma mère est belle.

b) Mon frère est créatif.　　　Moi, je suis créative.

c) Mon frère est généreux.　　　Moi, je suis généreuse.

d) Mon frère est gentil avec moi.   Moi, je suis gentille.

e) Mon chien est gros.   Ma gerbille est un peu grosse.

Hum… quelle est la règle?

	masculin	féminin
a)	b**eau**/nouv**eau**	b**elle**/nouv**elle**
b)	créat**if**/sport**if**	créat**ive**/sport**ive**
c)	génér**eux**/heur**eux**	génér**euse**/heur**euse**
d)	gent**il**/par**eil**	gent**ille**/par**eille**
e)	gro**s**/ba**s**	gro**sse**/ba**sse**

Références : le féminin d'un adjectif, pp. 174–175.

APPLICATION

Lis les phrases suivantes. Remplace *James* par *Melissa* et fais les accords nécessaires. Écris les phrases sur une feuille de papier.

1. James est beau.
2. James est gentil.
3. James est généreux.
4. James est actif.

Les formules de politesse

> Est-ce que tu pourrais m'aider à faire ma page Web, James?

1. Melissa a un problème : elle trouve les ordinateurs compliqués et elle n'a pas encore commencé à faire sa page Web. Elle doit demander un petit service à James, qui est un expert en ordinateurs.

Pourrais est une forme du verbe *pouvoir*. Melissa utilise cette forme pour être polie quand elle demande de l'aide.

Attention! Si elle dit : «*Est-ce que tu peux m'aider?*», elle demande seulement si James est capable de l'aider!

2. Alors, quand tu veux demander un service, tu dis :

> **a)** «*Est-ce que tu pourrais m'aider à...*» si tu parles à un ami, à un membre de ta famille ou à quelqu'un de ton âge.
>
> **b)** «*Est-ce que vous pourriez m'aider à...*» si tu parles à un ou une prof, au directeur ou à la directrice de ton école ou à un ou une adulte.

> C'est toujours une bonne idée d'être poli avec les autres, n'est-ce pas?

APPLICATION

3. Maintenant, voici des petits services à demander :

a) demande à un ami ou une amie de t'aider à faire tes devoirs de maths;

b) demande à ton frère de t'aider à faire la vaisselle;

c) demande à ton ou ta prof de t'aider à comprendre la leçon;

d) demande à ton conseiller ou ta conseillère de t'aider à choisir tes cours;

e) demande au vendeur ou à la vendeuse dans un magasin de t'aider à choisir un cadeau pour ta grand-mère.

Activités orales et écrites

1. **a)** Écoute encore une fois la conversation entre Melissa et James, puis fais l'activité dans ton cahier.

   b) Maintenant, à deux, suivez le dialogue complet dans le cahier comme modèle. Préparez et présentez un dialogue où une autre personne demande de l'aide à James.

2. **a)** En petits groupes, dressez une liste d'adjectifs qui décrivent les qualités d'un bon représentant ou d'une bonne représentante de classe. Comparez votre liste avec celle d'un autre groupe.

   b) Tu as décidé de te présenter comme représentant ou représentante de ta classe au conseil d'élèves de l'école. Prépare et présente un petit discours de trente secondes au maximum. Explique pourquoi tu es le candidat idéal ou la candidate idéale. Utilise plusieurs adjectifs.

À la tâche

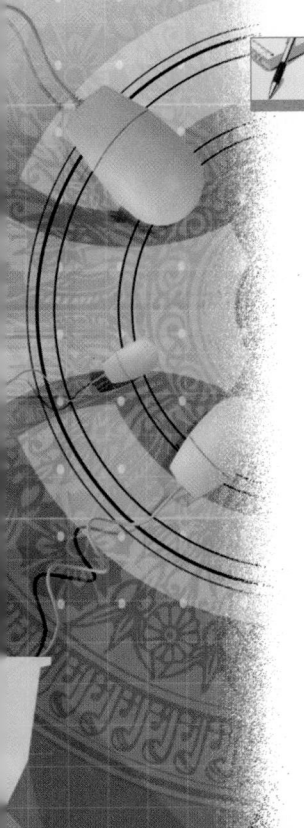

3. **a)** Regarde encore une fois la page Web de Melissa aux pages 10–11 de ton livre, puis écris ta propre description. Dans ce paragraphe, fais une description de toi-même et de ta famille. N'oublie pas d'utiliser plusieurs adjectifs!

   b) Échange ton brouillon avec celui de ton ou ta partenaire. Est-ce que tous les éléments nécessaires sont présents? Est-ce qu'il y a des fautes de français? Indique-les.

   c) Corrige ton brouillon et donne-le à ton ou ta prof.

Cette activité fait partie de la tâche finale.

Vocabulaire utile :

actif, active	beau, belle	créatif, créative
généreux, généreuse	gentil, gentille	heureux, heureuse
nouveau, nouvelle	sportif, sportive	

N'oublie pas ton vocabulaire personnel dans ton cahier.

Un matin typique chez Tyler

■ Écoute la conversation entre Melissa et Tyler, puis fais l'activité de compréhension dans ton cahier.

Sur sa page Web, Tyler décrit une journée typique de sa vie à ses nouveaux amis du cyberespace.

Petite galerie de photos

Voici un matin typique de ma vie

Eh bien, comme tu le sais, je suis membre de l'équipe de hockey les Flammes. Alors, j'ai plusieurs séances d'entraînement pendant la semaine. D'habitude, je me lève à quatre heures du matin pour être à la patinoire à six heures. La plupart du temps, j'ai l'air d'un zombi même si je me couche assez tôt le soir.

Dans la salle de bains, je me lave rapidement et je me rase aussi. Je me peigne les cheveux, et bien sûr, je me brosse les dents.

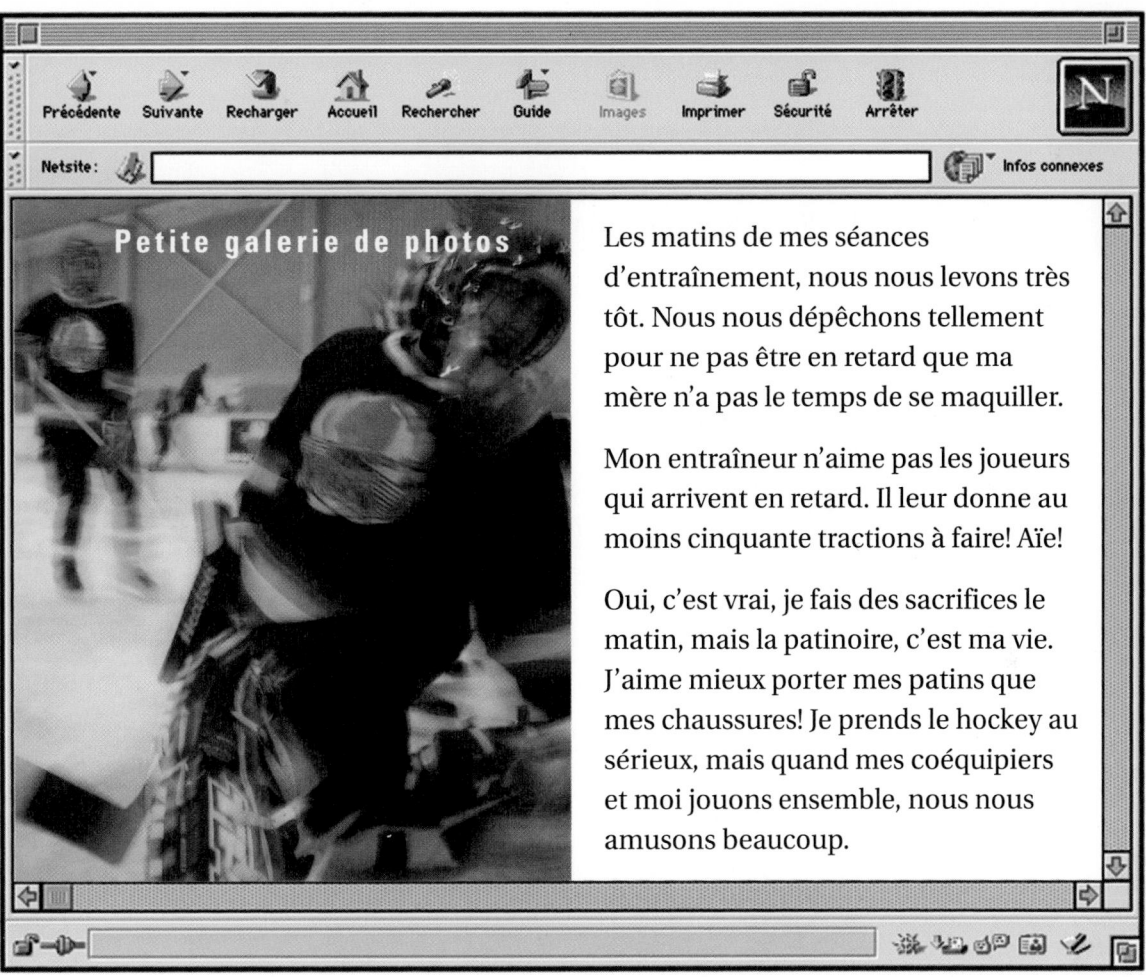

Petite galerie de photos

Les matins de mes séances d'entraînement, nous nous levons très tôt. Nous nous dépêchons tellement pour ne pas être en retard que ma mère n'a pas le temps de se maquiller.

Mon entraîneur n'aime pas les joueurs qui arrivent en retard. Il leur donne au moins cinquante tractions à faire! Aïe!

Oui, c'est vrai, je fais des sacrifices le matin, mais la patinoire, c'est ma vie. J'aime mieux porter mes patins que mes chaussures! Je prends le hockey au sérieux, mais quand mes coéquipiers et moi jouons ensemble, nous nous amusons beaucoup.

As-tu compris?

1. Tyler aime quel sport?

2. À quelle heure est-ce que Tyler se lève le matin?

3. Pourquoi est-ce que sa mère n'a pas le temps de se maquiller?

4. Qu'est-ce qui se passe quand les joueurs arrivent en retard?

5. Qu'est-ce que Tyler aime mieux porter : ses patins ou ses chaussures?

6. Comment sais-tu que Tyler aime jouer au hockey avec ses coéquipiers?

As-tu observé?

Les pronoms réfléchis

1. Regarde les photos et compare les deux phrases qui suivent.

a) Tyler lave le vélo.

sujet — verbe — objet direct

b) Tyler se lave.

sujet — objet direct — verbe

Hum… quelle est la règle?

pronom sujet	pronom réfléchi
je	me
tu	te
il	se
elle	se
nous	nous
vous	vous
ils	se
elles	se

Un verbe transitif comme *laver* a un sujet et un objet direct.

Le sujet est la personne qui fait l'action : Tyler.

Pour trouver l'objet direct :

	Question	Objet direct
a)	Tyler lave quoi?	le vélo
b)	Tyler lave qui?	Tyler

On ne peut pas dire *Tyler lave Tyler*.

Alors, on dit : *Tyler se lave*.

Se est un pronom *réfléchi*. Il indique que le sujet et l'objet direct sont la même personne.

Références : les verbes réfléchis, pp. 178–179.

2. Tu as déjà vu ces pronoms avec le verbe *s'appeler* :

a) Je m'appelle Dominique.

b) Tu t'appelles Tyler.

c) Il s'appelle James.

d) Elle s'appelle Nicole.

On utilise souvent les pronoms réfléchis pour parler des activités de tous les jours :

s'amuser, se coiffer, se coucher, se dépêcher, s'habiller, se laver, se lever, se maquiller, se peigner, se raser.

As-tu remarqué?

Au négatif, on met **ne** avant le pronom réfléchi et **pas** après le verbe :

Je **ne** me lève **pas** à cinq heures.

APPLICATION

Mets les phrases suivantes au négatif.

Exemple : Je **me lève** à quatre heures du matin.

Je **ne me lève pas** à quatre heures du matin.

1. Je me lave rapidement.

2. Je me brosse les dents à l'école.

3. Elle se maquille avant de sortir.

4. Nous nous amusons dans la cafétéria.

As-tu remarqué?

Tyler se lave le visage.

Quand tu mentionnes une partie du corps, tu utilises **le, la, l'** ou **les**. N'utilise pas d'adjectif possessif comme **son, sa** ou **ses**.

1. Tyler a créé sa page Web pour t'aider à faire cette activité.

   Tyler admire beaucoup l'artiste et inventeur Léonard de Vinci. Il veut créer une page Web à son sujet. À deux, présentez une entrevue dans laquelle Tyler demande à Léonard de décrire sa routine. Inventez les réponses de Léonard. Par exemple :

   Tyler : Quand est-ce que vous vous levez?

   Léonard : Je me lève à 5 heures pour travailler à mes inventions.

   Présentez votre entrevue à la classe.

2. **a)** Écris un paragraphe où tu décris une journée typique de quelqu'un de célèbre que tu admires (un ou une athlète, un acteur ou une actrice, un chanteur ou une chanteuse).

   b) Présente la journée typique de ta célébrité à la classe. Pour rendre ta présentation plus intéressante, ajoute une photo, une affiche, de la musique, etc.

3. En groupes, préparez un sondage sur les activités typiques des élèves de 9e année. Utilisez les pronoms réfléchis dans votre cahier. Posez les questions à plusieurs élèves. Analysez les réponses pour arriver à un profil de l'élève typique de 9e année. Référez-vous à votre cahier pour préparer le questionnaire.

Avant d'écrire

Pour préparer un sondage, il faut :

1. préparer les questions à poser;
2. poser les questions à plusieurs personnes;
3. calculer le nombre de personnes qui font chaque activité;
4. calculer le pourcentage de personnes qui font chaque activité;
5. présenter les conclusions.

Tu veux en savoir plus?
Consulte notre site Web à :
www.pearsoned.ca/school/fsl

Léonard de Vinci

Le roi François Ier a invité Léonard de Vinci à venir en France en 1516. Il lui a donné une maison, le Clos Lucé, tout près de son château. Léonard de Vinci est arrivé avec un cadeau pour le roi : le tableau que tout le monde appelle *la Joconde* ou *Mona Lisa*.

Pendant les trois ans qu'il a habité le Clos Lucé, Léonard a fait des dessins de ses idées fantastiques… comme l'avion, l'automobile, le parachute et l'hélicoptère. Bien sûr, pendant sa vie, on n'a pas réalisé ces inventions!

Aujourd'hui, le Clos Lucé est un site historique très populaire. Dans le petit château du Clos Lucé, les touristes peuvent voir des maquettes des fabuleuses machines de Léonard de Vinci.

À la tâche

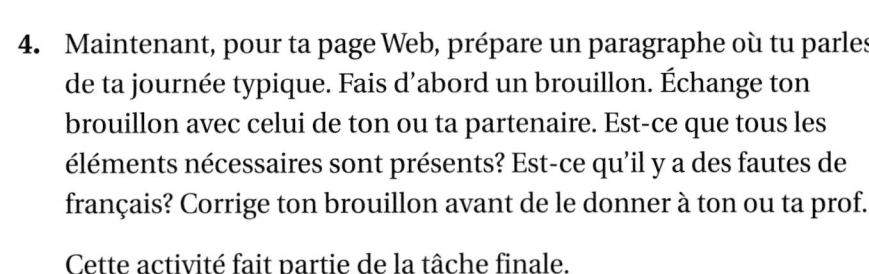

4. Maintenant, pour ta page Web, prépare un paragraphe où tu parles de ta journée typique. Fais d'abord un brouillon. Échange ton brouillon avec celui de ton ou ta partenaire. Est-ce que tous les éléments nécessaires sont présents? Est-ce qu'il y a des fautes de français? Corrige ton brouillon avant de le donner à ton ou ta prof.

Cette activité fait partie de la tâche finale.

Vocabulaire utile :

s'amuser	se brosser les dents	se coucher	se laver
se lever	se maquiller	se peigner	se raser

N'oublie pas ton vocabulaire personnel dans ton cahier.

Nicole fait une annonce publicitaire

 **Avant de lire**

■ Écoute la conversation entre Dominique et Nicole, puis fais l'activité de compréhension dans ton cahier.

Nicole : Ma mère et moi, nous avons décidé de créer une petite entreprise culinaire. Nous allons préparer quelque chose pour un dîner multiculturel à l'école. J'ai fait une petite annonce publicitaire pour nos services sur ma page Web. Veux-tu la voir?

Dominique : Oui, j'aimerais bien la voir.

Voici l'annonce que Nicole a créée pour sa page Web.

										N
Précédente	Suivante	Recharger	Accueil	Rechercher	Guide	Images	Imprimer	Sécurité	Arrêter	

Netsite :   Infos connexes

Notre restaurant *virtuel*

Cuisine tunisienne

Cette petite entreprise propose une cuisine africaine. Nous préparons des mets traditionnels, comme le couscous (de la semoule de blé) du Maroc et le ku ku Pak (du poulet à la noix de coco) du Kenya, mais également des plats tout à fait délicieux de notre pays d'origine, la Tunisie. Notre entreprise a la meilleure réputation culinaire en ville.

Notre famille vous souhaite bon appétit!

Contacter : Nicole ou Esther
Catégorie : Afrique, cuisine

Pour placer une commande, clique ici.

As-tu compris?

Complète les phrases suivantes.

1. Avec sa mère, Nicole a décidé de créer…

2. Dominique veut voir…

3. L'entreprise propose une cuisine…

4. Au Kenya, on mange…

5. La famille de Nicole vient de…

6. La réputation culinaire de leur entreprise est…

As-tu observé?

Le comparatif et le superlatif

1. Pour comparer deux personnes ou deux choses :

   a) Dominique est *plus grande que* Melissa.

                  ↑

               adjectif

   b) Dominique court *plus vite que* Melissa.

                 ↑

              adverbe

Hum... quelle est la règle?

le comparatif :

plus/	un adjectif/			le nom de la personne/
moins	un adverbe	+ que +		de la chose

Références : le comparatif, p. 175.

---

2. Pour comparer plus de deux personnes ou plus de deux choses :

   a) Dominique est *la plus grande* des trois.

                ↑

              adjectif

   b) Dominique court *le plus vite* des trois.

                ↑

             adverbe

Hum... quelle est la règle?

le superlatif :

le/la/l'/les + **plus/moins** + un adjectif

le + **plus/moins** + un adverbe (invariable)

Références : le superlatif, p. 175.

Maintenant, regarde les exemples suivants.

3. **a)** Le **repas** de Nicole est ***bon***. (**bon** est un adjectif)

   b) Le **repas** de Nicole est ***meilleur que*** le repas de Dominique.

   c) Les juges ont donné le premier prix à Nicole parce que son **repas** est ***le meilleur***.

4. **a)** Nicole **cuisine *bien***. (**bien** est un adverbe)

   b) Nicole **cuisine *mieux*** que Dominique.

   c) Nicole **cuisine *le mieux***.

Hum... quelle est la règle?

L'adjectif *bon* et les adverbes *bien* et *mal* ont des formes spéciales au comparatif et au superlatif.

	au comparatif	au superlatif
bon(s)	meilleur(s) que	le(s) meilleur(s)
bonne(s)	meilleure(s) que	la (les) meilleure(s)
bien	mieux que	le mieux
mal	pire que	le pire

Références : bon et bien, p. 176.

APPLICATION

Exemple : Nicole / cuisine / Dominique

Nicole cuisine mieux que Dominique.

a) Tyler / danse / James

b) Melissa / nage / Nicole

c) James / chante / Tyler

Exemple : Tyler / joueur de l'équipe

Tyler est le meilleur joueur de l'équipe.

a) James / guitariste du groupe

b) Nicole / cuisinière de sa classe

c) Dominique / représentante du conseil

1. Nicole a créé sa page Web, mais maintenant elle a besoin d'un dépliant pour annoncer sa petite entreprise.

   Prépare un dépliant publicitaire pour Nicole et sa mère. Regarde la page Web de Nicole aux pages 22–23 de ton livre pour les informations nécessaires. Fais le plan de ton dépliant dans ton cahier.

   Compare ton dépliant avec celui de ton ou ta partenaire. Est-ce que tous les éléments nécessaires sont présents? Est-ce qu'il y a des fautes de français? Fais les corrections avant d'écrire la copie finale de ton dépliant.

Avant d'écrire

Comment faire un dépliant publicitaire

Un dépliant est une forme d'annonce publicitaire très populaire parce qu'il ne coûte pas cher à produire. On peut l'afficher sur le babillard du supermarché ou de l'école, ou on peut le mettre dans les boîtes aux lettres.

Quand tu prépares un dépliant :

- annonce très clairement le produit ou le service;
- donne un nom et un numéro de téléphone;
- donne les détails importants, par exemple, le prix du produit ou du service, comment passer une commande;
- écris les informations les plus importantes en grosses lettres;
- ajoute des dessins ou des photos et un peu de couleur.

2. Nicole aime la cuisine africaine. Quelle sorte de cuisine aimes-tu? Prépare un menu de ton repas préféré. Présente-le à la classe.

Avant d'écrire

Voici un exemple d'un repas français :

- l'entrée : les escargots à l'ail
- le plat principal : le canard à l'orange
- la salade : la salade verte
- le dessert : la crème caramel

À la tâche

3. À deux, préparez et enregistrez sur cassette une annonce publicitaire de 30 secondes. Cette annonce est pour l'événement que Dominique organise à l'école, une vente dans la cafétéria. Les plats représentent les pays d'origine de plusieurs élèves.

Avant de parler

Pour créer une annonce publicitaire sur cassette, il faut :

- être précis : le temps est strictement limité;
- s'adresser à un public spécifique : aux enfants, aux adolescents, aux familles, aux personnes âgées;
- être clair sur ce que l'on veut annoncer.

Vocabulaire utile :

un repas…   africain, canadien, chinois, français, grec, italien

une cuisine…   africaine, canadienne, chinoise, française, grecque, italienne

N'oublie pas ton vocabulaire personnel dans ton cahier.

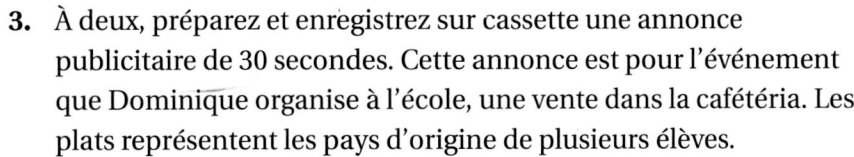

Une jeune fille qui a des projets

Avant de lire

- As-tu déjà pensé à ton avenir?
- Où penses-tu travailler plus tard?
- À quel emploi penses-tu?

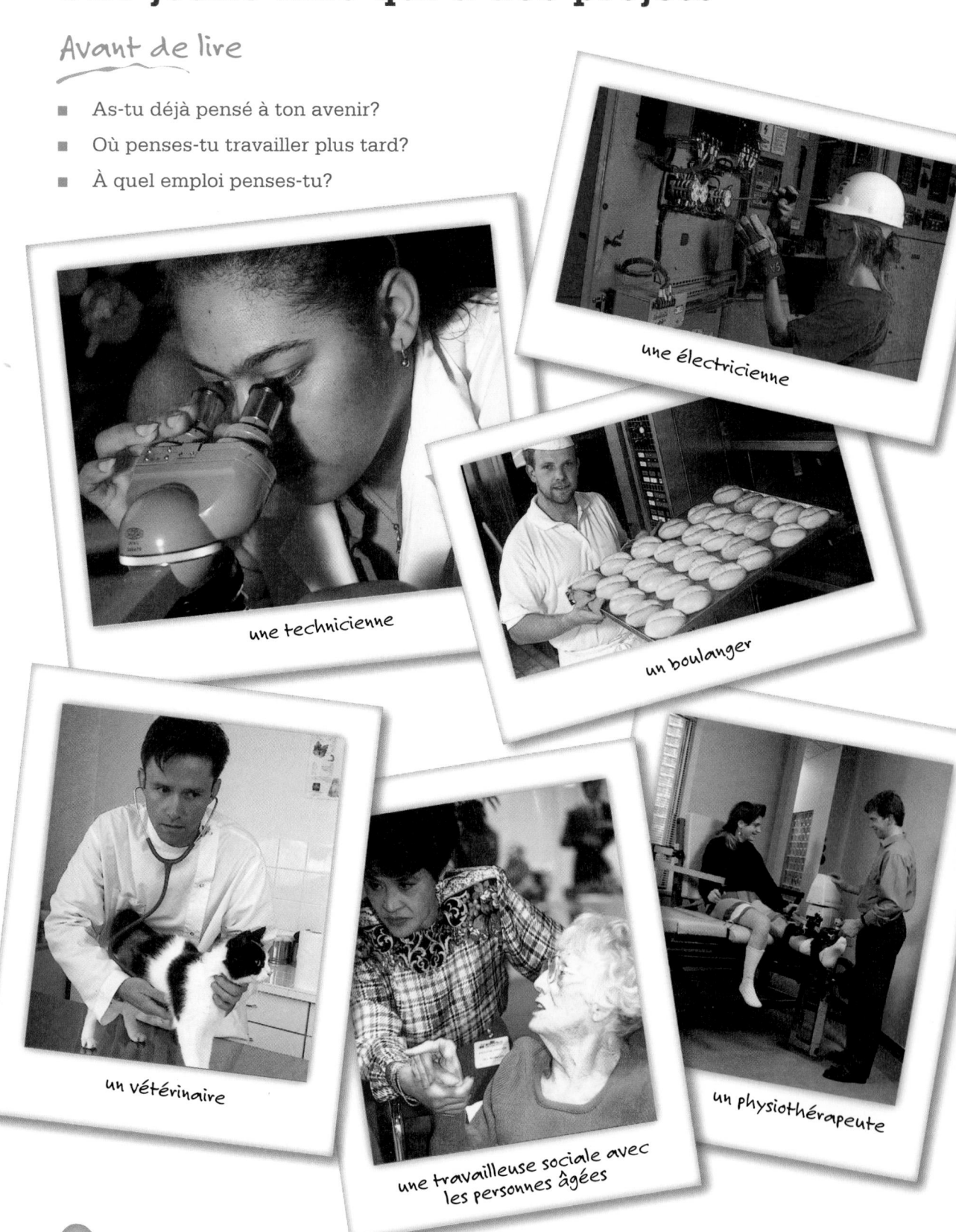

une électricienne

une technicienne

un boulanger

un vétérinaire

une travailleuse sociale avec les personnes âgées

un physiothérapeute

Dominique a composé la section «Mes projets d'avenir» pour sa page Web.

Mes projets d'avenir

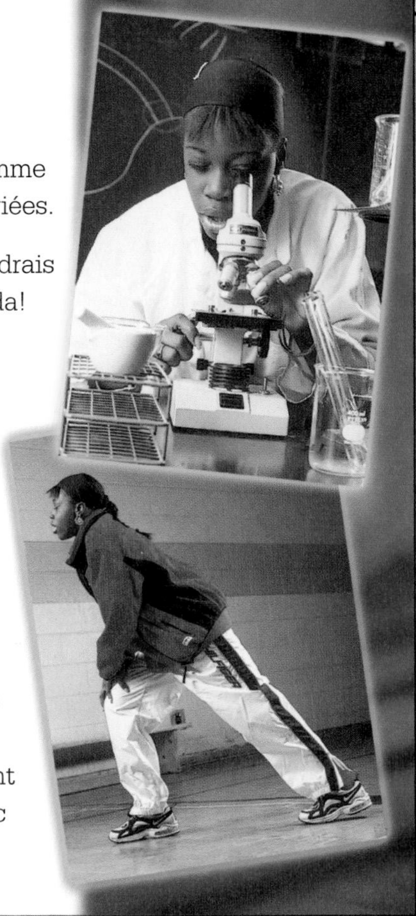

Qu'est-ce que je vais faire plus tard? Eh bien, j'y pense souvent. À vrai dire, je ne sais pas trop. Mes points forts sont les sports, les sciences et les sciences sociales. Comme tu peux voir, j'ai plusieurs aptitudes et elles sont très variées.

Je rêve de m'entraîner pour les Jeux olympiques. Je voudrais bien gagner une médaille d'or en triathlon pour le Canada! Ce serait chouette, n'est-ce pas?

La physiothérapie m'intéresse aussi parce que c'est une profession à forte demande. Je vais chez ma physiothérapeute au moins une fois par semaine pour mes genoux. Ils me donnent souvent de gros ennuis.

Mais j'aimerais aussi devenir travailleuse sociale comme ma mère. Elle me parle souvent de son travail, qui me semble très intéressant.

Je ne peux pas choisir toute seule. Je vais parler de mes projets d'avenir avec mon conseiller en orientation à l'école. Je suis certaine qu'il peut m'aider. Il est tellement gentil et patient avec moi. Je vais en discuter aussi avec mes parents. Ils sont toujours prêts à m'écouter.

As-tu compris?

1. À deux, composez trois ou quatre questions sur les informations contenues dans la page Web de Dominique.
2. Posez vos questions à un autre groupe et répondez à leurs questions.
3. Quel groupe a compris le mieux?

As-tu observé?

Les pronoms sujets

Quand on ne veut pas répéter un nom, on peut le remplacer par un pronom sujet.

1. Regarde les exemples suivants tirés de la page Web de Dominique :

   a) J'aime bien mon conseiller en orientation à l'école. Il est tellement gentil.

   b) Ma mère est travailleuse sociale. Elle me parle souvent de son travail.

   c) Je vais chez ma physiothérapeute au moins une fois par semaine pour mes genoux. Ils me donnent souvent de gros ennuis.

   d) Comme tu peux voir, j'ai plusieurs aptitudes et elles sont très variées.

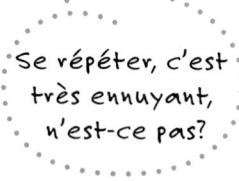

Se répéter, c'est très ennuyant, n'est-ce pas?

Hum... quelle est la règle?

pronoms sujets

je	nous
tu	vous
il	ils
elle	elles

Références : les pronoms sujets, pp. 169–170.

APPLICATION

Remplace les noms en italiques par des pronoms.

1. Est-ce que *ton frère* va à la même école que toi, Melissa?

2. *Ma mère* n'a pas le temps de se maquiller.

3. *Les sports* demandent beaucoup d'entraînement.

4. *Les quatre amies* se rencontrent après l'école.

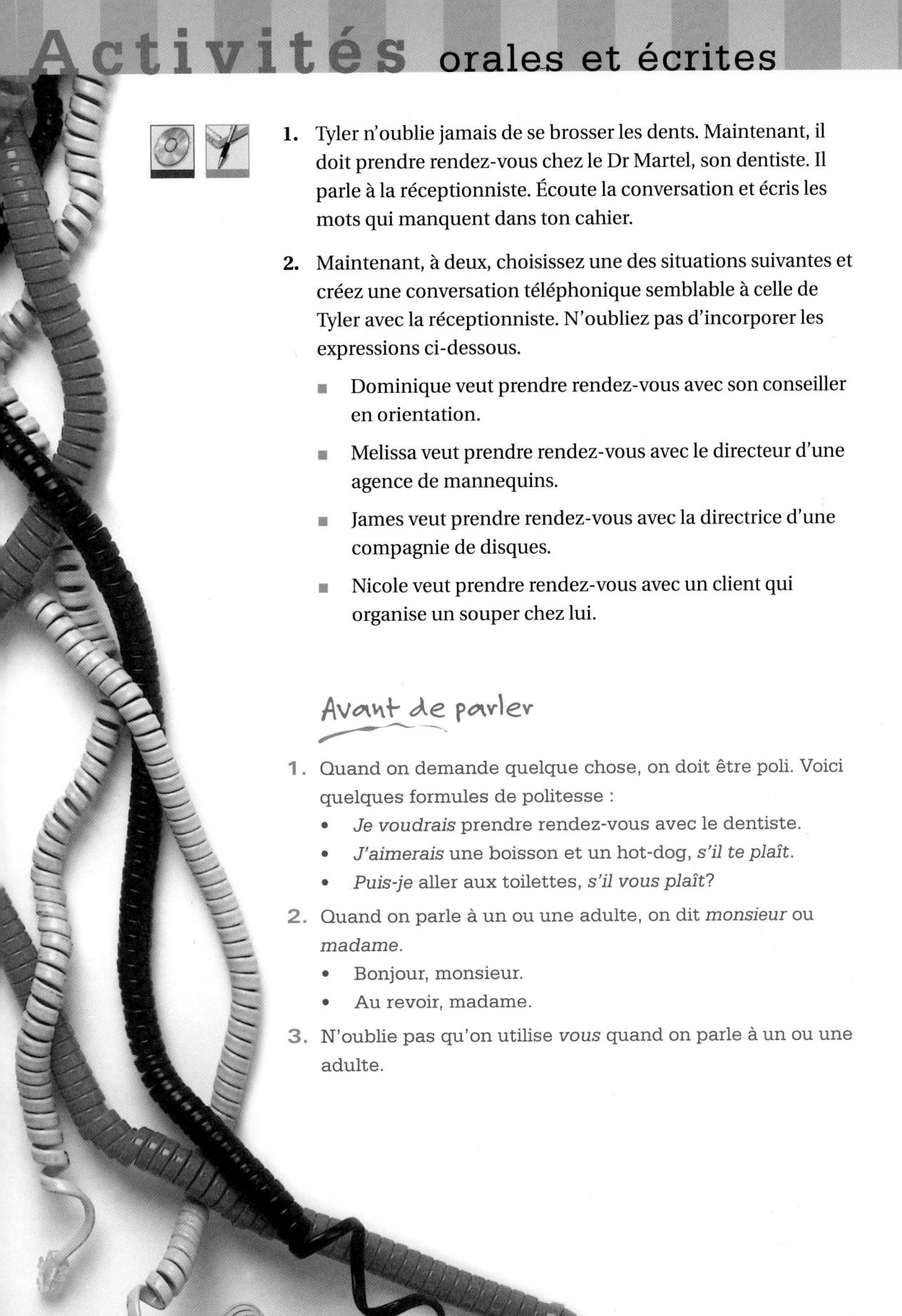

1. Tyler n'oublie jamais de se brosser les dents. Maintenant, il doit prendre rendez-vous chez le Dr Martel, son dentiste. Il parle à la réceptionniste. Écoute la conversation et écris les mots qui manquent dans ton cahier.

2. Maintenant, à deux, choisissez une des situations suivantes et créez une conversation téléphonique semblable à celle de Tyler avec la réceptionniste. N'oubliez pas d'incorporer les expressions ci-dessous.

   - Dominique veut prendre rendez-vous avec son conseiller en orientation.

   - Melissa veut prendre rendez-vous avec le directeur d'une agence de mannequins.

   - James veut prendre rendez-vous avec la directrice d'une compagnie de disques.

   - Nicole veut prendre rendez-vous avec un client qui organise un souper chez lui.

Avant de parler

1. Quand on demande quelque chose, on doit être poli. Voici quelques formules de politesse :
   - *Je voudrais* prendre rendez-vous avec le dentiste.
   - *J'aimerais* une boisson et un hot-dog, *s'il te plaît*.
   - *Puis-je* aller aux toilettes, *s'il vous plaît*?

2. Quand on parle à un ou une adulte, on dit *monsieur* ou *madame*.
   - Bonjour, monsieur.
   - Au revoir, madame.

3. N'oublie pas qu'on utilise *vous* quand on parle à un ou une adulte.

un athlète professionnel /
une athlète
professionnelle

un mannequin /
une mannequin

un mécanicien /
une mécanicienne

un plombier /
une plombière

un professeur /
une professeure

un technicien /
une technicienne en
informatique

un travailleur social / une
travailleuse sociale

3. Regarde la liste d'emplois à gauche.

   a) Identifie l'emploi où :
- **i)** on installe la plomberie;
- **ii)** on répare les autos;
- **iii)** on doit surveiller son apparence;
- **iv)** on travaille à l'ordinateur;
- **v)** on doit beaucoup aimer les enfants et les jeunes;
- **vi)** on reste en bonne condition physique;
- **vii)** on aide les personnes âgées.

   b) Regarde la liste d'emplois encore une fois. Quel emploi t'intéresse le plus? Lequel t'intéresse le moins? Explique pourquoi.

> **Exemple :** Garder les enfants, c'est l'emploi qui m'intéresse le moins parce que je suis impatient/impatiente. Être astronaute, c'est l'emploi qui m'intéresse le plus parce que je suis aventureux/aventureuse.

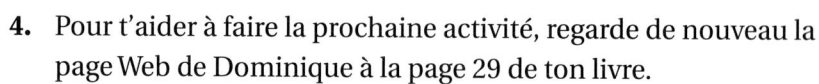

À la tâche

4. Pour t'aider à faire la prochaine activité, regarde de nouveau la page Web de Dominique à la page 29 de ton livre.

Maintenant, écris un paragraphe pour ta page Web où tu parles de tes projets d'avenir. Mentionne deux ou trois possibilités et explique pourquoi ces emplois t'intéressent.

Vocabulaire utile :

un(e) artiste	un boulanger, une boulangère
un conseiller, une conseillère	un(e) écrivain(e)
un(e) physiothérapeute	un(e) vétérinaire

N'oublie pas ton vocabulaire personnel dans ton cahier.

Le Minitel

Pendant les années 80, la France a lancé un système de télé-communication qui s'appelle le Minitel. Il est devenu très populaire et aujourd'hui 40 % de la population française l'utilise.

Le Minitel offre plus de 25 000 services en ligne. On peut trouver un appartement, chercher un emploi, lire les journaux, acheter des billets de concert et de théâtre, faire ses transactions bancaires et envoyer des messages. Pour encourager l'usage du Minitel, le gouvernement français a donné des millions de terminaux aux compagnies et aux résidences. Chaque fois qu'on utilise le Minitel, on paie entre 0,50 $ et 3 $ la minute. Ces frais sont ajoutés à la facture de téléphone.

Pendant 15 ans, les Français ont profité d'un service qui n'était pas disponible dans le reste du monde. Maintenant, Internet est en compétition avec le Minitel parce que c'est international et parce qu'on ne doit pas payer chaque fois qu'on l'utilise. Le Minitel va-t-il survivre?

La tâche finale

Maintenant c'est à ton tour de créer une page Web.

As-tu...

- un paragraphe qui te décrit?
- un paragraphe qui parle de ta journée typique?
- un paragraphe qui parle de tes projets d'avenir?
- une adresse de courrier électronique?

Si tu veux, tu peux aussi avoir :

- une galerie de photos;
- une annonce publicitaire pour un produit ou un service que tu offres.

Copie ton travail sur disquette ou sur papier et donne-le à ton ou ta prof.

Si tu as créé une vraie page Web, n'oublie pas de donner l'adresse à tes ami(e)s. Pendant l'année, tu peux ajouter d'autres travaux de français sur ta page Web.

Tu viens de rencontrer les cinq jeunes de ton cours de français. Maintenant, passe à la prochaine unité pour découvrir dans quel endroit ils vont se trouver et quel travail médiatique ils vont t'aider à faire.

Bonne aventure!

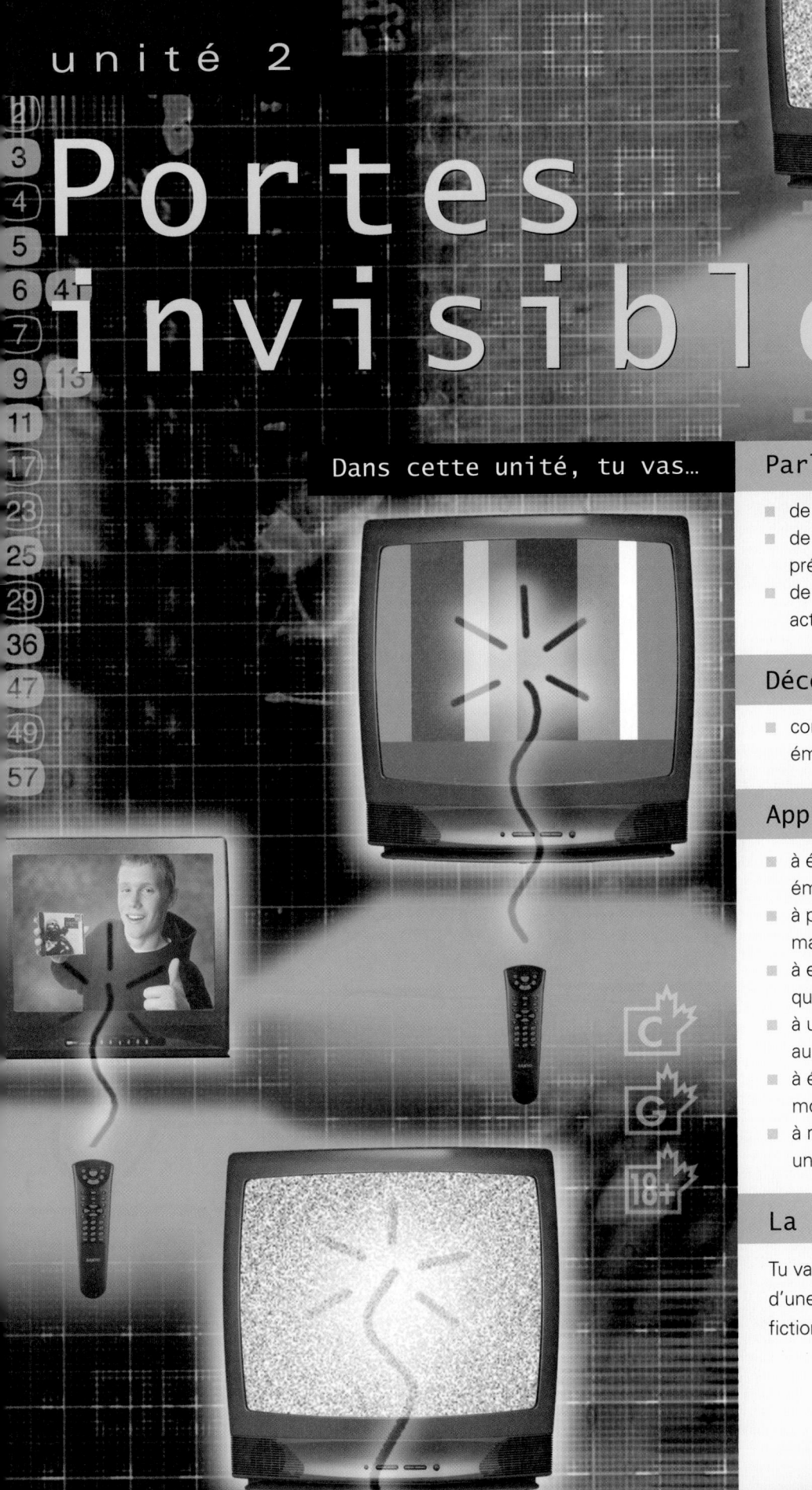

unité 2
Portes invisibles

Dans cette unité, tu vas...

Parler

- de la télévision;
- de tes émissions préférées;
- de tes acteurs et de tes actrices préférés.

Découvrir

- comment on prépare une émission de télévision.

Apprendre

- à écrire un texte pour une émission;
- à préparer un scénario-maquette;
- à exprimer des émotions quand tu parles;
- à utiliser certains verbes au passé composé;
- à éviter la répétition de mots;
- à relier deux idées dans une seule phrase.

La tâche finale

Tu vas préparer une scène d'une émission de science-fiction.

Allons-y !

Portes invisibles

(science-fiction;
1 heure)

Tyler dit à Melissa qu'il pense que Dominique est une extraterrestre alliée avec le docteur James. Il va peut-être regretter son action parce que maintenant Nicole a disparu. James a trouvé où Tyler et Melissa ont caché la potion qui neutralise les effets du laser orange. Dominique a pris rendez-vous avec Nicole.

Dans cette unité, tu vas revoir les cinq élèves qui jouent les personnages dans une émission de télévision, *Portes invisibles*.

Écoute les personnages. Puis fais l'activité dans ton cahier.

Portes invisibles : Épisode 14, scène 3

- Combien d'heures par jour ou par semaine regardes-tu la télé?

- Quels genres d'émission préfères-tu?

- Nomme tes émissions préférées : la meilleure comédie de situation, le meilleur téléroman, la meilleure émission policière, le meilleur dessin animé, la meilleure émission pour enfants, la meilleure émission sportive.

(Plan moyen sur Tyler à la porte d'un laboratoire)
Tyler : *(entre vite dans la salle sans frapper; il est furieux)* Cette fois, docteur, vous êtes allé trop loin! Où est Nicole?

(Gros plan sur James)
James : *(regarde Tyler)* Désolé, mon ami, mais je ne sais pas. *(se tourne vers Dominique)* Dominique, ma chère, qu'est-ce que tu as fait?

(Gros plan sur Dominique)
Dominique : Attendez un moment, docteur. J'ai reçu votre message. Vous avez écrit, très clairement, «Parle à Nicole. Elle doit comprendre que nous voulons la potion. Prends les mesures nécessaires.» C'est ça, le message, n'est-ce pas? «Prends les mesures nécessaires.» Eh bien, j'ai pris les mesures nécessaires.

(Plan moyen sur Tyler. La caméra avance avec lui vers Dominique.)
Tyler : Où est-elle? *(lève la main)* Si tu lui as fait du mal…
Dominique : *(tourne le dos à Tyler. Plan moyen sur les trois)* J'ai été très polie avec elle. Je lui ai lu le message du docteur. Mais est-ce qu'elle a vu le sérieux de la situation? Je pense que non.
James : Et pourquoi, ma chère Dominique?

(Gros plan sur Dominique)
Dominique : *(furieuse)* Parce qu'elle a ri de moi! Ha ha! Mais maintenant c'est moi qui ris!

(Gros plan sur Tyler)
Tyler : Monstre! Qu'est-ce que tu as fait?

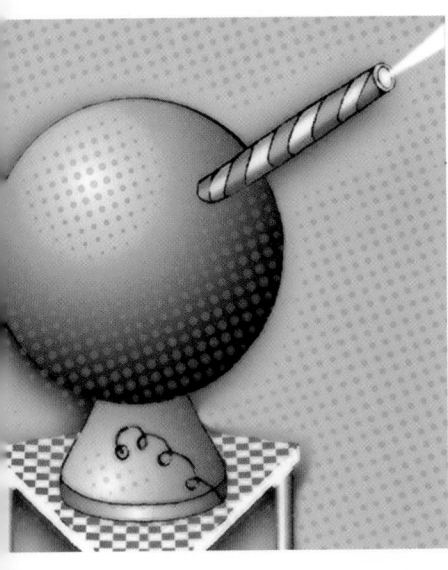

(Caméra passe à James. Gros plan)

James : Tyler, mon cher ami, les insultes… *(avance vers la machine à laser)*

(Plan moyen : James, Tyler, la machine, Dominique)

Tyler : Oubliez votre fameux laser orange, docteur. J'ai déjà bu la potion. Le laser ne peut pas me faire mal. *(à Dominique)* Tu vas me répondre? Qu'est-ce que tu as fait?

James : Oui, Dominique, qu'est-ce que tu as fait? J'ai dit que tu devais faire peur à la petite Nicole. Dans mon message, je n'ai pas dit de lui faire du mal.

Dominique : Vous m'avez dit de prendre les mesures nécessaires. J'ai souri, j'ai été polie, mais elle a refusé de m'écouter.

(Plan moyen : James et Dominique)

James : Et tu as eu une réaction… nerveuse?

Dominique : *(fâchée)* Non! Je suis capable de contrôler mes réactions nerveuses! Nicole est en toute sécurité.

(Gros plan sur Tyler)

Tyler : Où est-elle? Je veux la voir tout de suite!

James : *(avance dans le champ visuel)* Un moment, mon ami. Ici c'est moi qui donne les ordres.

(Disparition graduelle)

As-tu compris?

Réponds **vrai** ou **faux** aux phrases suivantes. N'oublie pas de donner la réponse correcte sur une feuille de papier si la phrase est fausse.

1. Au début de la scène, Tyler, James et Dominique sont ensemble.

2. Tyler cherche Nicole. Il pense que le docteur James sait où elle est.

3. Dominique a suivi les instructions du docteur James.

4. Dominique pense que Nicole a vu le sérieux de la situation.

5. Tyler porte une veste qui le protège contre le laser.

6. Le docteur a dit à Dominique de faire du mal à Nicole.

7. Quand Dominique a «une réaction nerveuse», elle est capable de se contrôler.

8. Le docteur accepte de montrer Nicole à Tyler.

Avant d'écrire

Le réalisateur de l'émission donne des instructions au cameraman pour expliquer la composition de l'image qu'il veut. Tu vas utiliser quelques-unes de ces directives dans la tâche finale. Voici des exemples :

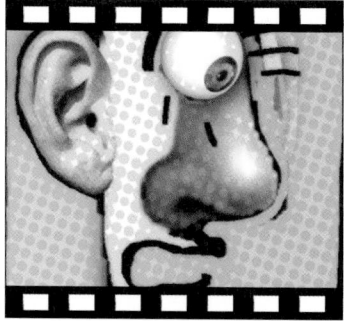

1. Dans **un gros plan**, la caméra est très proche. C'est bon pour montrer les émotions.

2. Dans **un plan moyen**, on voit la tête et les épaules du personnage.

3. Dans **un plan américain**, on voit la moitié du personnage.

4. Dans **un plan demi-ensemble**, on voit tout le personnage et le décor où il se trouve.

5. Dans **un plan d'ensemble**, on voit un décor. On utilise ce plan comme introduction à une scène.

6. Dans **un plan de très grand ensemble**, on ne voit pas les personnages (par exemple, on montre une vue aérienne d'une ville pour établir la scène).

Attention! Quand on fait un film de cinéma ou un vidéo, on utilise *une caméra* (on dit aussi *un caméscope* pour les vidéos). *Le cameraman* est responsable de ce travail.

Quand il s'agit de photographie, *un photographe* utilise *un appareil-photo* pour prendre des photos.

a) Comment sais-tu que la phrase suivante fait référence à une action qui a eu lieu dans le passé?

Exemple : La semaine dernière, j'ai invité Nicole à un dîner chez moi.

b) Tu as déjà appris à former le passé composé. Quel verbe auxiliaire est-ce qu'on utilise?

c) Après le verbe auxiliaire on trouve le participe passé. Comment est-ce qu'on forme le participe passé d'un verbe en : *er*? *ir*? *re*?

d) Où est-ce qu'on met le *ne* et le *pas* quand une phrase au passé composé est à la forme négative?

APPLICATION

1. Ajoute *la semaine dernière* aux phrases suivantes et change les verbes au *passé composé*. Écris les phrases sur une feuille de papier.

Exemple : Le docteur James développe le laser orange.

La semaine dernière, le docteur James a développé le laser orange.

a) Tyler travaille sur la potion anti-laser.

b) Nicole choisit ce moment pour aller chez Dominique.

c) Le docteur attend Dominique dans son laboratoire.

2. Récris les phrases du numéro 1 à la forme négative.

Exemple : La semaine dernière, le docteur James a développé le laser orange.

La semaine dernière, le docteur James n'a pas développé le laser orange.

As-tu observé?

Le passé composé des verbes irréguliers

1. Lis les phrases suivantes. Est-ce que ces phrases sont au passé composé ou au présent? Comment est-ce que tu le sais?

   a) Dominique, qu'est-ce que tu as fait?

   b) J'ai reçu votre message.

   c) Vous avez écrit «Prends les mesures nécessaires».

   d) J'ai pris les mesures nécessaires.

   e) J'ai été très polie avec elle.

   f) Je lui ai lu le message du docteur.

   g) Elle a vu le sérieux de la situation.

   h) Elle a ri de moi.

   i) Vous m'avez dit de prendre les mesures nécessaires.

2. En quoi est-ce que ces verbes sont différents des verbes réguliers? Est-ce le verbe auxiliaire ou le participe passé qui est différent?

3. Dans les phrases du numéro 1, cherche le participe passé de : *lire, voir, faire, être, rire, prendre, recevoir, écrire, dire*. Puis, écris les participes passés de la liste dans ton cahier.

Hum... quelle est la règle?

Malheureusement, dans le cas des verbes irréguliers, il n'y a pas de règle. Il faut les mémoriser!

Références : les verbes irréguliers au passé composé, p. 179.

APPLICATION

Écris les phrases du numéro 1 à la forme négative. **Attention!** Dans les phrases *f* et *i* il y a un pronom (*lui, m'*) devant le verbe auxiliaire. Mets le *ne* devant le pronom.

Exemple : Dominique, qu'est-ce que **tu as fait**?
           Dominique, qu'est-ce que **tu n'as pas fait**?

1. Chez toi, regarde une publicité à la télévision. Concentre-toi sur *une* scène et fais attention aux éléments suivants :

   a) les plans de caméra;

   b) la musique;

   c) les effets sonores;

   d) le rôle des répétitions et des silences dans le texte;

   e) Est-ce que les acteurs et les actrices sont naturels? exagérés?

   Prends des notes dans ton cahier. Compare tes notes avec celles de ton ou ta partenaire.

2. Regarde les illustrations suivantes, tirées d'un scénario-maquette, et lis la première phrase de chaque conversation sous les illustrations. Maintenant, réponds pour le personnage indiqué.

Exemple :

Dominique : Pourquoi penses-tu que je suis une extraterrestre?

Nicole lui répond que son visage n'est pas humain.

Nicole : Parce que ton visage n'est pas humain.

a) **James :** Donne-moi la potion anti-laser, maintenant!

Tyler lui répond qu'il a caché la potion où James ne peut pas la trouver.

b) **Melissa :** Pourquoi est-ce que tu parles à Nicole de tes plans?

Tyler lui répond qu'il n'a pas parlé de ses plans à Nicole.

c) **Tyler :** Pourquoi est-ce que tu te moques de moi?

Melissa lui répond que c'est parce que Nicole n'est pas honnête.

d) **Tyler :** Où est Nicole?

James lui répond qu'il ne sait pas où Nicole se trouve.

e) **Dominique :** Vous m'avez dit de prendre toutes les «mesures nécessaires».

James lui répond qu'il n'a pas dit de faire de mal à Nicole.

3. Développe un petit dialogue pour deux personnes en utilisant les mots donnés. Écoute l'exemple suivant.

Exemple :

— Mais, maman, tous mes amis vont au concert, samedi soir!

— (être/bien/pour/amis/mais/toi/aller/anniversaire/ton grand-père)
— C'est bien pour tes amis, mais toi, tu vas à l'anniversaire de ton grand-père.

— (d'accord/mais/pas/aller/m'amuser)
— D'accord, mais je ne vais pas m'amuser.

a) — Moi, je ne crois pas aux extraterrestres. C'est stupide.

  — (pas stupide!/On/voir/extraterrestres/télé/tout le temps)
  — (télé/pas/être/réalité/ami)

b) — J'ai besoin de souliers pour porter avec cette jupe.

  — (Tu/avoir/souliers très élégants)
  — (Tu/pas/comprendre!/Je/vouloir/souliers/bleus!)

c) — Ma note est mauvaise parce que le professeur ne m'aime pas.

  — (Tu/faire/travail nécessaire?)
  — (Maman!/Tu/défendre/toujours/professeurs!)

d) — Si tu ne manges pas de légumes, alors, pas de dessert!

  — (Qu'est-ce que/tu/préparer/comme/dessert?)
  — (favori/mais/tu/devoir/manger/légumes)

4. a) Lis la description du documentaire *Habitat naturel*.

  Habitat naturel (documentaire; 1 heure) La réalisatrice Miko Yamaguchi et son cameraman Derek Laval capturent pour nous la vie familiale du lion africain. On voit aussi des zèbres, des antilopes et des hyènes.

  b) Maintenant, c'est à ton tour. Dans ton cahier, écris une description de téléguide pour un documentaire sur les jeunes et la télévision, et une autre description pour un drame policier où les agents cherchent un voleur de banques.

5. a) Lis la description suivante. C'est une scène de *Portes invisibles*.

Melissa entre dans le laboratoire de Tyler et trouve Nicole. Elle lui demande où Tyler se trouve. Nicole répond que Tyler est sorti acheter de l'équipement pour son laboratoire. Melissa, furieuse, accuse Nicole d'arrêter Tyler de parler avec elle. Nicole répond que ce n'est pas vrai. Tyler rentre et demande aux filles d'expliquer le problème. Elles lui répondent qu'il n'y a pas de problème.

b) Maintenant, lis comment le scénariste, Alvaro, a changé le texte du scénario avec dialogues et directives pour les acteurs et les actrices.

(Plan américain sur Melissa à la porte du laboratoire)
Melissa : Tyler? *(Elle voit Nicole.)* Ah… c'est toi!

(Plan demi-ensemble. Melissa à la porte, Nicole à droite)
Melissa : Tyler n'est pas ici?
Nicole : Non. Il est sorti.

(Plan moyen sur Melissa)
Melissa : Et où est-il allé?

(Plan moyen sur Nicole)
Nicole : Ici et là. Il a dit qu'il doit acheter de l'équipement pour le labo.

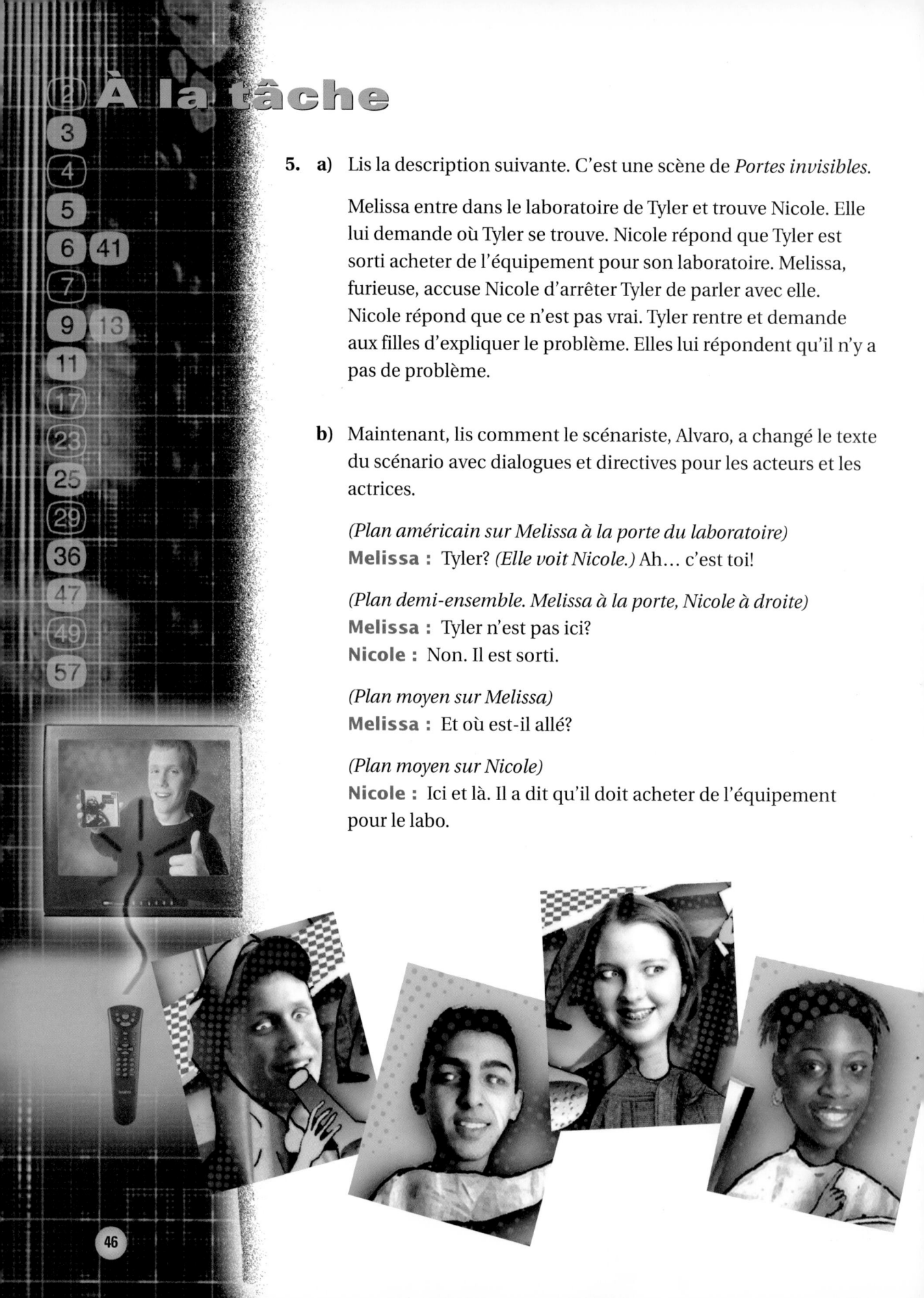

(Plan demi-ensemble sur les deux. Melissa avance lentement vers Nicole.)

Melissa : *(furieuse)* Chaque fois que je cherche Tyler il est sorti ou tu es ici. Tu ne veux pas que Tyler me parle de ses plans!

Nicole : *(surprise)* De quoi parles-tu? Je ne contrôle pas les actions de Tyler. S'il ne veut pas parler de la potion…

(Plan moyen sur Tyler à la porte. Il écoute la conversation.)

Tyler : Qu'est-ce qui se passe ici?

(Plan américain sur Melissa et Nicole)

Les deux filles : Rien.

Nicole : On parle, c'est tout.

Melissa : Oui, c'est ça. On parle.

c) Maintenant, développe le texte de la scène suivante, tirée d'un épisode différent. Ajoute les directives pour les acteurs et les actrices et pour le cameraman.

Tyler a quitté le laboratoire, furieux. Dans la rue, il rencontre Dominique. Elle lui demande la formule de la potion anti-laser. En échange, elle va lui dire où Nicole se trouve. De plus, elle lui propose une alliance contre le docteur James.

d) Échange ton brouillon avec un ou une partenaire. Est-ce que tous les éléments nécessaires sont présents? Est-ce qu'il y a des erreurs de français? Corrige ta copie et donne-la au ou à la prof.

e) À deux, décidez quel texte est le meilleur. Vous allez l'utiliser pour la tâche finale.

Vocabulaire utile :

une alliance	l'argent	une banque
capturer	la formule	voler

N'oublie pas ton vocabulaire personnel dans ton cahier.

Portes invisibles : **Épisode 13, scène 8**

Avant de lire

Écoute les personnes suivantes et identifie qui parle. Est-ce :

- un acteur;
- un réalisateur;
- un cameraman;
- un coiffeur;
- une scénariste;
- une productrice;
- une maquilleuse?

Melissa : Nicole n'est pas ici?
Tyler : Non. Elle a dû sortir pour quelques instants.
Melissa : Bon. Je voudrais te parler.

Tyler : Bien, parle. Mais vite, s'il te plaît. Comme tu vois, je suis occupé.
Melissa : C'est la fameuse potion anti-laser?

Tyler : N'y touche pas! Et qu'est-ce que tu sais de la potion?
Melissa : Il n'y a pas de secrets, Tyler. Pas quand Nicole y met son nez.

Tyler : Melissa, ne recommence pas ça! Je ne veux rien entendre!

Melissa : Tu vas bien m'entendre! Tu penses que Nicole est une bonne amie, mais ce n'est pas vrai!
Tyler : Ça suffit! Tu es jalouse parce que je préfère Nicole à toi!

Melissa : Peut-être... Où est-elle en ce moment, Tyler?
Tyler : Je ne lui ai pas demandé.
Melissa : Tu dois lui demander. Elle va te répondre qu'elle a parlé à Dominique.

Tyler : Dominique? Tu penses que Nicole lui parle?
Melissa : Bien sûr! Et le docteur leur parle, à Dominique et à Nicole. Et tu sais de quoi il leur parle?

Melissa : Il leur parle de la potion, Tyler. Et Nicole lui dit tout... tout, Tyler. Elle lui donne la formule de la potion en ce moment, Tyler. Tout est perdu!

As-tu compris?

1. Avec qui est-ce que Melissa veut parler?

2. Selon Tyler, pourquoi est-ce que Melissa dit du mal de Nicole?

3. De quoi est-ce que Melissa accuse Nicole?

4. Selon Melissa, où est Nicole en ce moment?

As-tu observé?

Les pronoms d'objets indirects

1. Lis ces phrases qui viennent des dialogues de la scène 8 aux pages 48–49 de ton livre.

    a) Tyler : Je ne **lui** ai pas demandé.

    b) Melissa : Tu dois **lui** demander.

    c) Tyler : Nicole **lui** parle?

2. De qui est-ce que Tyler et Melissa parlent? Sur une feuille de papier, complète le même dialogue avec le nom de la personne.

    Attention! Devant le nom, un petit mot est nécessaire!

    a) Tyler : Je n'ai pas demandé ⬜ .

    b) Melissa : Tu dois demander ⬜ .

    c) Tyler : Nicole parle ⬜ ?

3. **Leur** se réfère à combien de personnes? Lis le dialogue suivant.

    Melissa : Et le docteur James **leur** parle. Et tu sais de quoi il **leur** parle? Il **leur** parle de la potion, Tyler.

Hum… quelle est la règle?

1. On utilise **lui** et **leur** pour éviter la répétition quand on a déjà mentionné le nom.

2. **Lui** remplace **à + le nom d'une personne** (masculin ou féminin).

3. **Leur** remplace **à + les noms de deux personnes ou plus.**

4. On met **lui** et **leur** devant le verbe. Si le verbe est au passé composé, on met **lui** ou **leur** devant le verbe auxiliaire : Elle **lui** a parlé de la potion.

5. Au futur proche, ou quand il y a une forme conjuguée de *devoir, pouvoir* ou *vouloir* suivie d'un autre verbe, on met **lui** ou **leur** devant le deuxième verbe.

    Je vais **lui** parler ce soir.

Tu dois **lui** offrir quelque chose à manger.

Je ne peux pas **leur** dire la vérité.

Elle ne veut pas **leur** demander.

6. Si la phrase est à la forme négative, on met **ne** devant **lui** ou **leur** : Je ne **leur** ai pas répondu.

a) Je parle **à Tyler**.   Je **lui** parle.

b) Je parle **à Dominique**.   Je **lui** parle.

c) Je ne parle pas **à Dominique**.   Je ne **lui** parle pas.

d) Je parle **à Tyler et à Dominique**.   Je **leur** parle.

e) Je parle **à Dominique et à Nicole**.   Je **leur** parle.

f) Je ne parle pas **à Dominique et à James**.   Je ne **leur** parle pas.

Plusieurs verbes qui prennent **à + le nom d'une personne** sont associés à la communication : *parler, dire, demander, répondre, écrire, lire, chanter, expliquer*.

Références : les pronoms d'objets indirects, lui et leur, p. 171.

APPLICATION

Remplace les mots en caractères gras par **lui** ou **leur**, selon le cas.

Exemples :

a) Je demande l'adresse **à James**.
   Je **lui** demande l'adresse.

b) Je n'explique pas le problème **aux filles**.
   Je ne **leur** explique pas le problème.

1. Tyler chante sa nouvelle chanson **à Melissa**.

2. James écrit une lettre d'instructions **à Dominique**.

3. Tyler parle **à James et à Dominique**.

4. James répond **à Tyler** qu'il n'a pas fait de mal à Nicole.

1. Le prof parle aux élèves. Il leur explique comment faire un scénario-maquette. Écoute bien et coche dans ton cahier les éléments mentionnés par le prof.

2. Ton ou ta partenaire est absent(e) quand le prof explique le scénario-maquette. À deux, composez et présentez un dialogue où tu lui expliques le processus. Référez-vous à *Un scénario-maquette* dans votre cahier.

3. Crée une affiche que Tyler mettra partout pour avoir de l'information sur la disparition de Nicole. Fais mention des détails comme sa taille, la couleur de ses yeux et de ses cheveux, et les vêtements qu'elle portait quand elle a disparu. Tu peux faire un portrait de Nicole si tu veux. N'oublie pas de mentionner comment on peut entrer en contact avec Tyler.

À la tâche

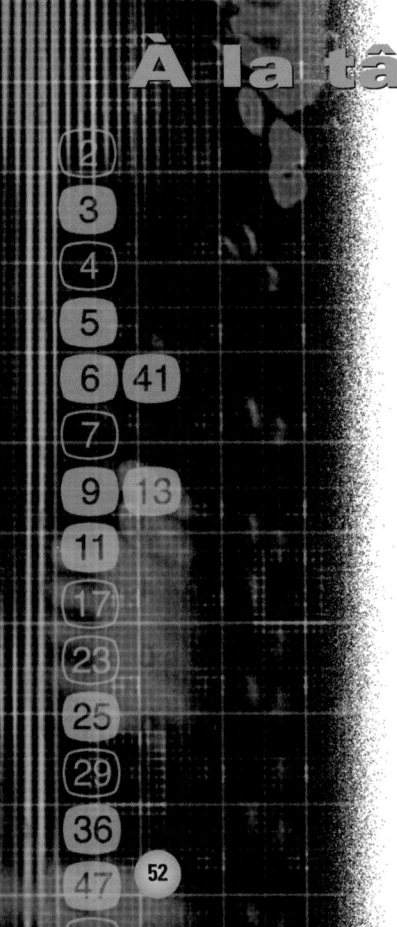

4. **a)** Tu as déjà écrit le texte de la scène où Tyler parle à Dominique. Maintenant, mets le texte en forme de scénario-maquette avec des dessins. Si tu n'es pas un grand artiste, ne t'inquiète pas : tu peux dessiner des bonshommes. N'oublie pas de donner les directives aux acteurs, aux actrices, et au cameraman. Tu dois aussi indiquer les effets sonores et la musique. Réfère-toi à *Un scénario-maquette* dans ton cahier.

b) Présente ton scénario-maquette à ton ou ta prof. Réponds à ses questions.

Vocabulaire utile :

chercher   disparaître   la disparition   dramatique
le langage de la caméra (voir la page 40 du livre)

N'oublie pas ton vocabulaire personnel dans ton cahier.

52

Tu veux en savoir plus?
Consulte notre site Web à :
www.pearsoned.ca/school/fsl

Les Filles de Caleb

Au Québec, on produit un grand nombre d'émissions en français : des comédies de situation et des drames qui reflètent la vie québécoise. Parmi les plus populaires sont les téléromans qui racontent une histoire dramatique en épisodes.

Un des plus populaires était *Les Filles de Caleb*, télévisé en 1990. C'est une histoire assez simple qui a lieu dans le Québec rural vers la fin du dix-neuvième siècle. L'héroïne s'appelle Émilie et elle enseigne dans une petite école. C'est une femme brillante et ambitieuse. Elle tombe amoureuse d'Ovila, un ancien étudiant de son école. Leur mariage est passionné mais malheureux, car Ovila est très irresponsable.

Plus de trois millions de personnes ont regardé *Les Filles de Caleb* chaque semaine, presque 40 % de la population du Québec!

On a traduit *Les Filles de Caleb* en anglais. Au Canada anglais, on a vu la série sous le titre d'*Émilie*.

Roy Dupuis et Marina Orsini sont les acteurs principaux du téléroman *Les Filles de Caleb*. Ils ont enregistré leurs voix en anglais pour la version anglaise.

Les commentaires de la professeure

Avant de lire

- Qui sont tes acteurs et tes actrices favoris?
- Qui est-ce que tu préfères dans les rôles comiques? Dans les rôles dramatiques?

Voici des commentaires que la professeure a écrits au sujet des scénarios-maquettes de quatre élèves.

1.

(Plan américain)
Dominique : (menaçante) Donne-moi la formule, Tyler!
Tyler : (furieux) Jamais! La formule est secrète!

Musique : Forte et dram...

Tu as écrit un texte très créatif et tes dessins sont superbes!

2.

(Plan moyen)
Tyler : (fâché) Monstre! Je ne vais pas te donner la formule!
Dominique : Tu ne vas jamais revoir Nicole!

Effets sonores : Une explosion

Ton texte est bon mais tes illustrations n'expliquent pas comment tu veux le filmer.

3.

(Plan d'ensemble)
Tyler : (heureux) Voilà le laser orange. Je vais l'utiliser contre toi, Dominique!

Je ne comprends pas. Veux-tu ajouter de la musique ou des effets sonores au troisième dessin?

4.

(Plan américain)
Tyler: (triomphant) Tu as perdu, Dominique!
Nicole : Oui! C'est la fin pour toi!

Musique : Dramatique

Problème de logique : Nicole a disparu, donc elle ne peut pas être dans la rue avec Tyler quand Dominique arrive, n'est-ce pas?

As-tu compris?

1. À ton avis, qui a fait le meilleur travail?

2. Qui n'a pas bien compris l'intrigue?

3. Qui n'a pas fait un très bon scénario-maquette?

4. Qui a causé un peu de confusion pour la prof?

Les conjonctions

1. Dans les commentaires de la professeure, combien d'idées est-ce qu'il y a dans chaque phrase?

   a) Tu as écrit un texte très créatif **et** tes dessins sont superbes!

   b) Ton texte est bon **mais** tes illustrations n'expliquent pas comment tu veux le filmer.

   c) Veux-tu ajouter de la musique **ou** des effets sonores au troisième dessin?

   d) Nicole a disparu, **donc** elle ne peut pas être dans la rue avec Tyler quand Dominique arrive, n'est-ce pas?

2. Quels mots est-ce que la professeure utilise pour relier les deux idées dans chaque phrase?

3. Quel mot :

   a) donne un nouveau détail?

   b) impose une restriction sur la première chose qu'on dit?

   c) offre un choix?

   d) présente une conséquence?

Hum... quelle est la règle?

1. On utilise **et** quand on relie deux idées ensemble et que la deuxième idée présente une *nouvelle information*.

2. On utilise **mais** quand la deuxième idée introduit une *restriction* à la première idée.

3. On utilise **ou** quand la deuxième idée propose un *autre choix* que la première idée.

4. On utilise **donc** quand on donne une *conséquence* à la première idée.

Références : les conjonctions, p. 178.

Combine les deux phrases en une seule. Utilise les mots **et**, **mais**, **ou** et **donc**.

Exemple :   Elle a les cheveux blonds. Elle a les yeux bleus.
             Elle a les cheveux blonds **et** les yeux bleus.

1. Vas-tu manger une salade? Préfères-tu un sandwich?

2. Pierre va passer l'été en Italie. Il ne parle pas l'italien.

3. Tu as fait un travail excellent. Tu as une bonne note.

4. Cette jeune fille joue au baseball. Elle fait du patinage.

As-tu remarqué?

Comment est-ce qu'on relie deux idées ensemble quand la deuxième idée introduit une **raison** pour la première?

T u

Le téléguide

Au Québec, les téléromans sont très populaires. Ce sont des séries dramatiques avec une histoire et des personnages qui continuent à se développer toutes les semaines. Voici quelques exemples :

TÉLÉROMANS

LUNDI

20 h 00 **2** ⑨ **13**

4 ET DEMI

Gabrielle perd son emploi, mais reçoit une autre offre d'emploi très intéressante. Renaud veut abandonner l'écriture télévisuelle.

MARDI

21 h 00 **2** ⑨ **13**

RÉSEAUX

Jessica dit à Charles qu'elle le quitte. La police fait une enquête sur l'accident de Miville.

MERCREDI

20 h 00 **2** ⑨ **13**

BOUSCOTTE

Philippe est hospitalisé.

Comme partout, les émissions de sports sont aussi très populaires. Voici quelques exemples :

SPORTS – PLUS

SAMEDI

8 h 30 **RDS**

QUALIFICATIONS FORMULE 1

Qualifications en vue de Grand Prix du Japon.

12 h 00 ③

NCAA COLLEGE FOOTBALL

West Virginia rencontre Miami.

15 h 00 **6**

CFL ON CBC

Les Roughriders de la Saskatchewan rencontrent les Eskimos d'Edmonton.

Activités orales et écrites

1. En petits groupes, on va raconter des histoires. La première personne commence à parler. Il ou elle dit, par exemple, *J'ai vu un chien*. Puis, il ou elle ajoute un des mots pour relier deux idées, par exemple, *et*. Puis, un autre membre du groupe doit continuer l'histoire logiquement. Si le groupe décide que la personne qui continue l'histoire utilise mal le dernier mot, cette personne est éliminée.

2. Votre prof va distribuer deux feuilles à chaque paire de partenaires. Une personne a le monologue et les directives. L'autre a seulement le monologue. La deuxième personne (qui a seulement le monologue) va lire le monologue en suivant les directives que son ou sa partenaire lui donne.

3. À deux, lisez le dialogue suivant. La première personne est toujours très heureuse et la deuxième personne est toujours triste. Après, répétez le dialogue, mais cette fois-ci, la première personne a peur et la deuxième personne est toujours fâchée.

    Personne nº 1 : J'ai vu James danser sur une table à la cafétéria.

    Personne nº 2 : Je ne suis pas allé à la cafétéria aujourd'hui. J'ai fait un test.

    Personne nº 1 : C'est dommage! Tout le monde a beaucoup ri!

    Personne nº 2 : Je pense que j'ai bien réussi mon test.

    Personne nº 1 : J'ai fait le test hier. J'ai eu zéro.

    Personne nº 2 : Et James? Il n'a pas encore fait le test.

    Personne nº 1 : Pauvre James! La directrice l'a renvoyé de l'école pendant trois jours!

À la tâche

4. Maintenant tu es prêt(e) à enregistrer ta scène sur vidéocassette. As-tu :

- le texte avec les dialogues et directives?

- le scénario-maquette?

- les indications pour la musique et les effets sonores?

- les costumes et les accessoires nécessaires?

Est-ce que tu as bien répété la scène avec les autres acteurs et actrices?

Est-ce que tout le monde a appris son texte et ses directives?

Bonne chance!

Vocabulaire utile :

un dialogue   une directive   éliminer   mal utiliser

N'oublie pas ton vocabulaire personnel dans ton cahier.

La tâche finale

Maintenant, tu es prêt(e) à présenter à ton ou ta prof la scène que tu as préparée. As-tu :

- le texte avec les directives?

- le scénario-maquette avec les effets sonores et la musique indiqués?

- la vidéocassette?

Sois prêt(e) à répondre aux questions du prof ou de la prof.

unité 3

Le défi quotidien

Dans cette unité, tu vas...

Parler

- des articles de journal écrits par les cinq élèves du livre;
- des sujets intéressants pour ton propre article;
- de ton opinion sur des événements controversés.

Découvrir

- comment faire une entrevue;
- comment écrire un article;
- comment écrire des titres, des manchettes et des légendes;
- comment écrire une lettre au rédacteur ou à la rédactrice en chef d'un journal.

Apprendre

- les mots interrogatifs;
- le passé composé de quelques verbes irréguliers;
- les pronoms d'objets directs *le, la, l'* et *les*.

La tâche finale

Tu vas créer ta propre page de journal. Tu vas inclure un article avec un titre, une photo avec une légende et la lettre de la semaine.

Allons-y!

1. Dans un journal, qu'est-ce que tu regardes pour savoir quelle nouvelle est la plus importante?

2. Quelle partie du journal regardes-tu...
   - pour obtenir le sommaire d'un article?
   - pour connaître la température d'aujourd'hui?
   - pour trouver l'explication d'une photo?
   - pour connaître l'opinion des lecteurs?
   - pour rire?

Une réunion de production

- Une chasse au trésor! Chaque groupe va recevoir un journal. Trouvez et découpez les éléments suivants : une manchette, une photo avec légende, la météo, une annonce classée, une lettre au rédacteur ou rédactrice en chef, une critique, un horoscope, une bande dessinée, un article sur l'économie, un article sur la politique et un article sur le sport.

- Sur de grandes feuilles de papier, collez les parties du journal et identifiez-les.

Tous les jours, la rédactrice en chef du journal *Le défi quotidien* choisit des sujets qu'elle considère comme importants. Elle les présente à ses reporters. Chaque reporter choisit le sujet qui l'intéresse le plus. La rédactrice en chef ajoute des questions qui aident les reporters à écrire leurs articles.

A. François Lacorde, le guitariste du célèbre groupe *Chocrock*, débute en solo au Stade demain soir. Pourquoi a-t-il abandonné son groupe? A-t-il changé de style? Va-t-il former un nouveau groupe? Est-ce que le public va l'accepter s'il n'est pas accompagné d'un chanteur?

Reporter…?

B. Au Centre des congrès vendredi et samedi : Assemblée des présidents et présidentes des Conseils des élèves. Quelles sont les questions importantes qui préoccupent les élèves qu'ils représentent? Les conditions sont-elles bonnes à l'école? Qui est-ce qu'ils vont choisir comme président ou présidente de l'assemblée?

Reporter…?

C. La Foire gastronomique internationale arrive dans notre ville la semaine prochaine. Qui va la visiter? Quelles sont les nouveautés culinaires de l'année? Est-ce que le public va les aimer? Combien coûtent les billets d'entrée?

Reporter…?

D. Les Requins veulent échanger leur gardien de but Mati Salonen aux Palomas de Santa Barbara. Pourquoi? Que dit Salonen? Quelle est la réaction de ses coéquipiers? Par qui le président de l'équipe veut-il le remplacer? Quel effet est-ce que l'échange de Salonen va avoir sur l'avenir de l'équipe?

Reporter...?

E. Le designer Karim présente sa nouvelle collection de mode féminine à l'Hôtel Normandie cette semaine. Des militants disent qu'ils vont protester contre son usage de la fourrure. Qu'est-ce que Karim dit? Que disent les mannequins? Est-ce que la présentation va avoir lieu ou va-t-on l'annuler à cause des protestations?

Reporter...?

As-tu compris?

À quel événement associes-tu chaque phrase?

1. Nous avons beaucoup de sympathie pour nos professeurs et nous voulons les aider.

2. C'est notre meilleur joueur. À quoi pense le président?

3. Une femme peut être belle sans qu'on tue des animaux pour elle.

4. Non, les autres ne sont pas contents que je les quitte, mais ils acceptent ma décision.

5. Ce n'est pas seulement les ingrédients. La présentation est importante aussi.

As-tu observé?

Les mots interrogatifs

Trouve la réponse à droite de chaque question à gauche.

les questions

1. **Qui** a dessiné cette robe?

2. **Qu'est-ce que** vous avez mangé?

3. **Quand** avez-vous décidé de quitter le groupe?

4. **Où** trouvez-vous votre inspiration?

5. **Pourquoi** aimez-vous vos professeurs?

6. **Quelle** musique est-ce que vous écoutez?

7. **Combien** d'écoles sont représentées?

8. **Comment** montrez-vous votre opposition?

9. **Est-ce que** le public va l'accepter?

les réponses

a) En Asie. J'adore les vêtements classiques japonais et indiens.

b) Cinq cents écoles secondaires sont représentées.

c) L'été passé... un jour, je n'ai plus voulu continuer.

d) Nous manifestons devant les salles où on montre les vêtements.

e) Oui. Le public va l'adorer.

f) Un peu de tout... du guacamole mexicain, du souvlaki, du sushi.

g) Karim. Il dessine toutes les robes pour nous.

h) Parce qu'ils travaillent beaucoup pour nous.

i) J'adore les concertos de Vivaldi.

Hum... quelle est la règle?

Réponse	Question
a) une personne	qui
b) quelque chose	qu'est-ce que ou que
c) le temps (l'heure, le jour, l'année)	quand
d) un lieu (une ville, une rue)	où
e) une raison	pourquoi
f) un choix entre plusieurs possibilités	quel, quelle, quels ou quelles
g) un nombre ou une quantité	combien
h) une manière	comment
i) oui, non, ou peut-être	est-ce que

Références : les mots interrogatifs, p. 177.

As-tu remarqué?

Qu'est-ce que tu fais? — Mes devoirs.

Que fais-tu? — Mes devoirs.

On peut poser une question avec **qu'est-ce que** ou **que** pour obtenir la même réponse. Attention! Après **que** on doit faire une inversion du verbe et son sujet.

À quoi penses-tu? — Je pense à ma tâche finale.

De quoi ont-ils besoin? — Ils ont besoin d'argent.

Quand une question commence par une préposition comme **à** ou **de**, on doit utiliser **quoi**.

Activités orales et écrites

1. Écoute les deux entrevues. Dans ton cahier, il y a une liste des éléments d'une bonne entrevue. Coche les éléments qui sont présents dans chaque entrevue.

Avant de parler

Pour faire une entrevue

a) Développe des questions appropriées. Un(e) reporter essaie toujours de trouver les réponses aux cinq questions fondamentales :

Qui? Quoi? Quand? Où? Pourquoi?

b) Ajoute les questions «ouvertes» qui encouragent la personne à parler.
Par exemple :
Quels sont les gros problèmes des élèves, aujourd'hui?

c) Ajoute aussi des questions «fermées». Parfois, on a besoin d'un simple «oui» ou «non» pour obtenir une réponse précise.
Par exemple :
Est-ce qu'on va parler des examens?

d) Reste à l'aise pendant l'entrevue; après tout, tu es bien préparé(e).

e) Montre de l'intérêt aux réponses de l'autre personne. Si tu es intéressé(e), ça encourage l'autre personne à parler.

f) Vers la fin de l'entrevue, pose des questions qui aident à résumer toute l'information obtenue.

> Faire une entrevue est une des façons de commencer à écrire un article de journal. Il faut se préparer!

2. Une inventrice, Melissa Cooper, a créé un nouveau jeu de société qui est devenu très populaire. Ce jeu est pour les jeunes de 13 à 18 ans. On peut jouer seul(e) ou en groupe. Tout le monde peut gagner en même temps.

Prépare cinq questions que tu vas lui poser à propos de son jeu. N'oublie pas les questions fondamentales. À deux, posez les questions et inventez les réponses.

3. À deux, créez et présentez une entrevue avec une célébrité.
Imaginez qu'un(e) partenaire est reporter et que l'autre est une
célébrité. Créez et présentez une entrevue.

a) Tu veux jouer le rôle de **qui**? Une célébrité...

- de sport?

- de cinéma?

- de musique?

- de mode?

- un autre domaine de ton choix?

b) **Qu'est-ce qui** s'est passé?

c) **Quand** est-ce que l'événement s'est passé?

d) **Où** est-ce que l'événement s'est passé?

e) **Pourquoi** est-ce que l'événement s'est passé?

4. Un(e) reporter essaie d'inclure les réponses aux cinq questions fondamentales dans le premier paragraphe d'un article. Parfois, on appelle ce premier paragraphe un «chapeau».

Lis l'article suivant. À deux, trouvez les réponses aux cinq questions fondamentales.

Wayne Gretzky est un des meilleurs joueurs de hockey au monde. Il a annoncé sa retraite le 16 avril 1999 à *Madison Square Gardens* à New York. Cette célébrité canadienne a expliqué qu'il voulait passer plus de temps avec sa famille.

Pendant sa carrière, Gretzky a remporté des douzaines de championnats, mais c'est le trophée «Lady Byng» qui le représente le mieux, car il est décerné au joueur avec le meilleur esprit sportif. On ne va jamais oublier le numéro «99».

a) Qui? De qui est-ce qu'on parle?

b) Quoi? Qu'est-ce qui s'est passé?

c) Quand? Quand est-ce que l'événement s'est passé?

d) Où? Où est-ce que l'événement s'est passé?

e) Pourquoi? Pourquoi est-ce que l'événement s'est passé?

5. Un(e) reporter fait attention au début et à la fin de chaque article. Imagine qu'un article ressemble à un sandwich. La première tranche de pain est la phrase d'introduction qui explique le sujet et donne l'information nécessaire. L'autre tranche de pain est la conclusion. Entre les deux tranches de pain, on trouve les autres informations qui rendent le sandwich… euh, l'article intéressant.

Relis l'article sur Wayne Gretzky. Identifie la phrase d'introduction et la phrase de conclusion.

À la tâche

6. Maintenant, choisis un des cinq sujets aux pages 64–65 de ton livre. Ton ou ta partenaire va choisir un autre sujet. Joue le rôle d'un(e) reporter et pose les questions pour l'histoire que tu as choisie. Ton ou ta partenaire va inventer les réponses de François Lacorde, Mati Salonen, etc. Ensuite, change de rôle et réponds aux questions de ton ou ta partenaire. Puis, écris un article. Les réponses à tes questions et les autres faits du sujet choisi aux pages 64–65 sont la base de ton article.

Cette activité fait partie de la tâche finale.

Avant d'écrire

Pour écrire un article

A. Rédige un brouillon de ton article. Lis ton article à haute voix. As-tu répondu aux questions fondamentales?

B. Révise et récris l'article. Pose-toi les questions suivantes :
  - As-tu une phrase d'introduction et une phrase de conclusion?
  - Est-ce que l'article est clair et logique?
  - Y a-t-il quelque chose à supprimer ou à ajouter?

C. N'oublie pas ces bons conseils!
  - Utilise des mots simples et garde tes phrases courtes.
  - Cherche à être original : ne répète pas ce que tout le monde dit.

Vocabulaire utile :

Voici quelques questions pour t'aider. Réfère-toi aux pages 64–65.
  - François, pourquoi avez-vous abandonné le groupe?
  - Est-ce que les conditions sont bonnes à l'école?
  - Combien coûtent les billets d'entrée?
  - Mati, qui va vous remplacer?
  - Karim, quand avez-vous créé votre collection de mode?

N'oublie pas ton vocabulaire personnel dans ton cahier.

Le journal d'hier

Avant de lire

■ Dans ton cahier, il y a des articles qui n'ont pas de titre. Écoute bien. Choisis le titre approprié pour chaque article.

Alexandre va à Hollywood!

par Tyler Khan
Le défi quotidien

ALEXANDRE «LE GRAND» HENSEN, le célèbre centre des Torpedos, a annoncé hier qu'il entreprend une nouvelle carrière : vedette de cinéma! Alexandre a signé un contrat avec un studio à Hollywood pour jouer le rôle principal dans le film de guerre *Brigade!* Quand je lui ai demandé si sa nouvelle carrière veut dire qu'il abandonne le basket-ball, Alexandre a souri. «Tu sais,» a-t-il répondu, «je suis un bon joueur, mais... acteur? Le public va décider.» Il m'a dit qu'il a un peu peur de prendre un rôle important au milieu d'un groupe d'acteurs professionnels, mais qu'il a dû accepter le défi.

Teresa abandonne les défilés de mode

par Melissa Cooper
Le défi quotidien

TERESA QUINTANA est la mannequin-vedette qui s'est trouvée en couverture de 150 magazines l'année passée. Elle a choqué le monde de la haute couture hier quand elle a annoncé sa retraite à l'âge de 23 ans. Elle a dit, à sa conférence de presse à New York, que c'était une décision difficile parce qu'elle adore son travail. Teresa va commencer une carrière en affaires. Elle veut aussi passer plus de temps avec son mari, le joueur de hockey Mati Salonen. L'année passée, Teresa a ouvert une boutique à New York et elle pense en ouvrir d'autres à Toronto, à Montréal et à Santa Barbara, en Californie. C'est dans cette dernière ville que son mari va jouer.

L'orchestre symphonique choisit un nouveau chef

par James Cormier
Le défi quotidien

LES DIRECTEURS DE L'ORCHESTRE SYMPHONIQUE ont annoncé hier l'embauche de Bernard Tourangeau comme chef d'orchestre à partir de septembre prochain. Monsieur Tourangeau remplace Simone Kim qui dirige notre orchestre depuis cinq ans. Le nouveau chef d'orchestre, qui a beaucoup d'expérience dans l'opéra, veut entrer dans le monde symphonique. Maestro Kim, pour sa part, veut essayer une carrière de pianiste. Les musiciens de l'Orchestre symphonique se disent très heureux de l'embauche de monsieur Tourangeau.

Les élèves de St-Laurent courent pour la recherche contre le cancer

par Dominique Toussaint
Le défi quotidien

LA MARCHE QUI FAIT HONNEUR À LA contribution de Terry Fox a eu lieu la fin de semaine passée. À l'école secondaire Louis St-Laurent, le héros du jour était Tommy Romain, 16 ans. Tommy a voulu battre tous les records. Il a couru au lieu de marcher et a il a fait neuf fois la piste de course de 3,5 kilomètres. (Le parcours d'un marathon est de 42,2 kilomètres.) De plus, Tommy a réussi à trouver plus de cinq cents donateurs. Leurs contributions représentent environ 3 500$ pour les recherches contre le cancer. «Je trouve que Terry est un vrai héros et je pense que j'ai pu faire ma contribution aussi», a dit Tommy.

La grande dame de la cuisine en ville

par Nicole Rossi
Le défi quotidien

MARCELLA DEROSA, la grande dame de la cuisine italienne, visite notre ville demain pour présenter son nouveau livre, *Pâtespartout*. Elle va aussi parler de sa nouvelle série télévisée, basée sur le livre. Madame Derosa a maintenant 74 ans, mais elle ne pense pas à prendre sa retraite. «La cuisine, c'est ma vie», dit-elle. «J'ai dû écrire ce nouveau livre parce que j'en ai marre de la cuisine italienne-thaïlandaise et italienne-mexicaine et tout ça. Je pense que j'ai pu, dans ce livre, revaloriser la simplicité et le bon goût de la vraie cuisine italienne.» Madame Derosa va signer des copies de son livre et de ses vidéocassettes à la librairie *Pages* entre 13 h et 17 h demain après-midi.

As-tu compris?

Explique brièvement pourquoi *Le défi quotidien* présente un article sur :

1. Alexandre «le grand» Hensen

2. Teresa Quintana

3. Bernard Tourangeau

4. Tommy Romain

5. Marcella Derosa

As-tu observé?

Le passé composé des verbes irréguliers

Regarde les phrases suivantes tirées des articles.

- Il **a dû** accepter le défi.

- J'**ai pu** faire ma contribution.

- L'ancienne chef d'orchestre **a voulu** commencer une carrière de pianiste.

- Il **a couru** au lieu de marcher.

- L'année passée, Teresa **a ouvert** une boutique à New York.

Hum… quelle est la règle?

infinitif	participe passé
devoir	dû
pouvoir	pu
vouloir	voulu
courir	couru
ouvrir	ouvert

Références : le passé composé des verbes irréguliers, p. 179.

Comme le verbe ouvrir, il y a aussi les verbes couvrir, découvrir et offrir.

APPLICATION

Compose des phrases au *passé composé*.

Exemple : Alexandre / devoir / partir

Alexandre a dû partir.

a) Teresa / pouvoir / prendre sa retraite.

b) Bernard / vouloir / essayer une nouvelle carrière.

c) Tommy / courir / 3,5 kilomètres.

d) Marcella / ouvrir / une école culinaire.

A. Pour écrire une manchette ou un titre

Une manchette se trouve en gros caractères, dans un journal, en tête de la première page. Elle décrit la nouvelle la plus importante du jour. Les titres sont aussi en gros caractères, mais ils se trouvent en tête de tous les autres articles. Pour écrire une manchette ou un titre, il faut considérer les questions suivantes.

1. Qu'est-ce qui s'est passé? Quel est le thème central de l'article?

2. Qu'est-ce qui va saisir l'attention du lecteur ou de la lectrice? L'impact de la manchette ou du titre doit être immédiat.

3. Est-ce que la manchette ou le titre reflète le contenu de l'article? L'article doit communiquer l'information suggérée par la manchette ou le titre.

Relis les articles aux pages 72–74 de ton livre. Est-ce que les titres répondent à ces critères?

B. Pour écrire une légende

Une légende est une explication écrite jointe à une photographie ou à un dessin. Elle joue un rôle important, car elle ajoute à l'intérêt créé par la manchette ou le titre. Elle aide à expliquer l'information de l'article.

Voici quelques suggestions pour t'aider à écrire ta propre légende.

1. Fais la légende comme si tu parles de la photo à un ami.

2. Utilise le présent.

3. Identifie les personnes dans la photo.

4. Ne décris pas la photo même. Il faut plutôt relier la photo au contenu de l'article.

5. N'utilise pas de mots comme «Dans cette photo...»

Activités orales et écrites

1. À gauche, il y a des titres d'articles. À droite, il y a des légendes de photos. Associe le titre avec la légende.

les titres

1. **UN HOMME SAUVE DEUX ENFANTS D'UN LAC GLACIAL**

2. **Ottawa autorise l'achat de nouveaux hélicoptères**

3. **La Floride menacée par l'ouragan Zoé**

4. **ES-TU VRAIMENT NOTRE MAMAN, MINOU?**

5. **2 sœurs réunies après 70 ans**

les légendes

A. Suzie, une chatte persane de 5 ans, surveille ses «enfants» adoptifs, deux petits oiseaux abandonnés dans le jardin de sa maîtresse, madame Jeanne Quéneau, du 54, rue Desrosiers.

B. Sophie Lasalle et Violette Beaudry ont été séparées à l'âge de 6 ans. Violette a grandi dans une famille en Alberta. Après son mariage, elle est allée en Australie.

C. Les frères Danny et Luc Cheung sont bien au chaud maintenant. Hier, ils sont tombés dans le lac de l'Ours, pas loin de leur maison. Gérard Thomas, 35 ans, de Fleurville, a entendu leurs cris et les a sauvés.

D. Le premier ministre canadien et le président de *Provincial Aerospace* célèbrent la décision du Cabinet d'acheter cinquante hélicoptères de la compagnie canadienne.

E. Floyd Carlyle de Fort Lauderdale couvre les fenêtres de sa maison pour se protéger contre une nouvelle tempête tropicale, la huitième à s'abattre sur la côte atlantique de la Floride cet automne.

2. Lis les légendes suivantes. Associe-les aux photos aux pages 72–74 de ton livre.

a) Bernard Tourangeau, le nouveau chef d'orchestre symphonique, dirige ici l'Opéra de Québec.

b) Marcella Derosa, la célèbre chef de cuisine, arrive en ville pour faire la promotion de son nouveau livre et de sa série télévisée.

c) La mannequin-vedette Teresa Quintana va commencer une carrière en affaires. Elle pense ouvrir des boutiques dans plusieurs villes nord-américaines.

d) Hier soir, Alexandre «le grand» a marqué ses derniers points pour les *Torpedos* avant de partir pour Hollywood.

e) Tommy Romain, 16 ans, a couru 32 kilomètres pour amasser des fonds pour la recherche contre le cancer.

3. Sam Pearson a perdu son crocodile, Jojo, samedi passé. On a retrouvé le crocodile dans un parc après quatre jours de liberté.

À deux, jouez les rôles d'un ou d'une reporter et de Sam Pearson. Préparez et présentez l'entrevue que le ou la reporter va utiliser pour écrire son article.

À la tâche

4. Tu as déjà écrit un article qui porte sur une des histoires aux pages 64–65. Maintenant, trouve ou dessine une «photo» pour l'accompagner. Écris une légende pour ta photo. Écris aussi un titre qui résume l'article.

Cette activité fait partie de la tâche finale.

Vocabulaire utile :

une catastrophe	un concours	une course	un événement
la politique	une poursuite	les recherches	un sauvetage

N'oublie pas ton vocabulaire personnel dans ton cahier.

Tu veux en savoir plus?
Consulte notre site Web à :
www.pearsoned.ca/school/fsl

Terry Fox : Un héros canadien

À l'âge de 18 ans, Terry a eu la jambe droite amputée à la suite d'un cancer des os. La nuit avant son opération, il lisait un magazine. Un article racontait l'histoire d'une personne qui avait la jambe amputée. Cette personne avait couru le Marathon de New York. Cette nuit-là, Terry a commencé à rêver qu'il courait lui aussi, mais à travers le Canada!

Deux ans après son opération, Terry a commencé à s'entraîner pour la course. Le but de Terry était d'amasser des fonds pour la recherche contre le cancer. Son Marathon de l'espoir a débuté le 12 avril 1980. Mais après quatre mois et demi et 5342 kilomètres, Terry a dû abandonner son rêve. Malheureusement, le cancer avait atteint ses poumons. Il est mort le 28 juin 1981, moins d'un mois avant son 23e anniversaire.

On fête la journée Terry Fox tous les ans, au mois de septembre. Un grand nombre de Canadiens y participent et font des dons pour la recherche contre le cancer.

Tiré de l'article *Le Marathon de l'espoir* par Leslie Scrivener

Les lettres de la semaine

■ Écoute la conversation entre Wendy Chen, une adolescente qui adore le hockey, et son frère David. C'est le matin, au déjeuner. Puis, écris les mots qui manquent dans ton cahier.

254, rue Dupont
Francoville, ON, N0A 1T6
le 5 avril 2000

Cher Léonard,
Le défi quotidien
2, rue de la Bourse
Francoville, ON, N0A 2T7

Cher Léonard,
Je viens de lire avec étonnement que Mati Salonen des Requins a été échangé et qu'il va jouer avec les Palomas de Santa Barbara. À quoi pensent les directeurs-gérants des Requins? J'ai beaucoup réfléchi à cette décision et je la trouve complètement ridicule. Salonen est le meilleur gardien de but de la ligue. Pourquoi l'échanger? La saison dernière, il a arrêté plus de tirs au but que tous les autres gardiens! Personne ne peut le remplacer!

Il y a beaucoup d'adolescents de mon âge qui prennent Mati Salonen comme modèle. C'est un excellent athlète qui démontre un esprit sportif. On l'aime beaucoup. Mati Salonen est unique en son genre. C'est une vedette!

Selon moi, cette décision prouve que la direction des Requins ne reconnaît pas le vrai talent. Par qui est-ce qu'ils vont le remplacer? Sans Mati Salonen, on peut dire adieu à la coupe Stanley pour toujours!

Sincères salutations,
Wendy Chen
16 ans

76, avenue Dufour

Francoville, ON, N0A 3T9

le 5 avril 2000

Cher Léonard

Le défi quotidien

2, rue de la Bourse

Francoville, ON, N0A 2T7

Cher Léonard,

Je suis complètement choquée par un événement que j'ai

vécu la fin de semaine passée. Je promenais mon petit

chien, Dali, dans le parc du coin comme je le fais depuis 3

ans. Tout à coup, nous avons été brutalement attaqués

par un crocodile! Je suis tombée par terre. Mon pauvre Dali

a essayé de l'attaquer et de nous défendre.

Heureusement, un policier est venu à notre aide. Le

résultat de tout cela? Je suis encore sous le choc et mon

pauvre Dali... il a perdu la queue. Je ne peux pas le

consoler. Et ça pourrait être pire encore!

J'ai lu un article dans Le défi quotidien qui dit que ce crocodile est sorti de la maison d'un certain monsieur Pearson qui le garde comme animal de compagnie. Je pense que cette situation est inacceptable. Je ne veux pas avoir peur chaque fois que je promène mon chien. Pourquoi est-ce que monsieur Pearson a le droit de garder un animal dangereux chez lui? Est-ce que c'est légal? Je crois que le gouvernement devrait faire quelque chose. On doit empêcher les gens de garder des animaux qui présentent un danger public. Je ne veux pas les voir dans mon parc!

Une fervente lectrice,

Mme Ladouceur

77 ans

As-tu compris?

Réponds aux questions suivantes avec des mots ou expressions clés.

La lettre de Wendy Chen

1. Quelle expression est-ce que Wendy utilise pour dire qu'elle n'est pas d'accord avec l'échange de Mati Salonen?

2. Comment sais-tu que Mati Salonen est un bon joueur?

3. Selon Wendy, pourquoi est-ce que Mati Salonen est aimé par les jeunes?

4. Comment sais-tu que Wendy a beaucoup de respect pour Mati Salonen?

La lettre de Mme Ladouceur

1. Que fait Mme Ladouceur depuis 3 ans?

2. Qu'est-ce qui est arrivé à Dali à cause du crocodile?

3. Selon Mme Ladouceur, qu'est-ce qu'on doit faire?

As-tu observé?

Les pronoms d'objets directs le, la, l', les

Dans sa lettre, Wendy a écrit les phrases suivantes :

- Personne ne peut **le** remplacer.
- J'ai beaucoup réfléchi à cette décision et je **la** trouve complètement ridicule.
- On **l'**aime beaucoup.

Quels noms est-ce que les mots en couleur remplacent?

Dans sa lettre, Mme Ladouceur a écrit les phrases suivantes :

- Dali a essayé de **l'**attaquer…
- Les animaux sauvages? Je ne veux pas **les** voir dans mon parc.

Quels noms est-ce que les mots en couleur remplacent?

Hum… quelle est la règle?

Le, la, l' et **les** sont des pronoms d'objets directs. Ils remplacent toujours des noms.

LE – des noms masculins singuliers.
Exemple : Je promène **le chien**. Je **le** promène.

LA – des noms féminins singuliers.
Exemple : Wendy rédige **la lettre**. Wendy **la** rédige.

L' – des noms singuliers devant un verbe qui commencent par une voyelle ou un «h» muet.
Exemple : On aime **Mati Salonen**. On **l'**aime.

LES – des noms pluriels.
Exemple : Beaucoup de gens n'aiment pas **les animaux dangereux**.
Beaucoup de gens ne **les** aiment pas.

Où est-ce qu'on place les pronoms d'objets directs **le**, **la**, **l'**
et **les** dans une phrase?

– Est-ce que Wendy prend **son déjeuner**? Oui, elle **le** prend.

On met le pronom **devant le verbe**.

À la forme négative :

– Est-ce que Wendy regarde **la télé**? Non, elle **ne la** regarde
pas.

Références : les pronoms d'objets directs, pp. 170–171.

APPLICATION

1. Remplace les mots en caractères gras par des pronoms d'objets
directs. Écris les phrases sur une feuille de papier.

  a) Madame Ladouceur lance **le frisbee** à son chien.

  b) J'aime **les parcs où il y a des crocodiles**.

  c) Le défi quotidien publie **les lettres**.

  d) David écoute **Wendy** au déjeuner.

Maintenant, mets les phrases à la forme négative.

On place toujours le pronom d'objet direct devant son verbe.

– Est-ce que Wendy va regarder **la télé**? Oui, elle va la regarder.

– Est-ce qu'elle va faire **son travail**? Oui, elle va le faire.

2. Dans les exemples ci-dessus, change **va** à **aime**, **doit**, **peut** et **veut**.
Écris les phrases sur une feuille de papier.

1. À deux, préparez et présentez une conversation où la première personne exprime et justifie une opinion. La deuxième personne indique qu'elle ne partage pas cette opinion et elle justifie ses idées.

   Choisissez un des sujets suivants à discuter :

   a) la pizza est le meilleur repas

   b) le rock est la meilleure musique

   c) le tennis est le meilleur sport

2. À deux, jouez les rôles de Mme Ladouceur et d'un ou d'une reporter qui l'interviewe. Le ou la reporter doit poser de bonnes questions. Le ou la reporter veut aider Mme Ladouceur à se rappeler les événements de l'attaque du crocodile.

3. Maintenant, écris une lettre à *Cher Léonard* pour donner ta réaction à la lettre de Mme Ladouceur au sujet des animaux de compagnie dangereux.

   ■ Es-tu d'accord avec elle?

   ■ Donne deux raisons.

   ■ Utilise des expressions appropriées pour donner ton opinion.

   Tourne la page pour trouver des conseils utiles pour écrire une lettre.

Avant d'écrire

Pour écrire une lettre au rédacteur ou à la rédactrice en chef :

- donne ton adresse complète et la date;
- écris l'adresse complète de la personne à qui tu écris;
- écris un appel (normalement, l'appel dans une lettre; formelle est simplement *Monsieur* ou *Madame* et on ne dit pas *cher* ou *chère*; ici tu vas écrire *Cher Léonard*);
- explique dans la première phrase pourquoi tu écris;
- exprime tes opinions clairement; justifie tes opinions;
- écris une salutation;
- signe ton nom.

À la tâche

4. Tu vas écrire une lettre à *Cher Léonard* pour ta page de journal (*La lettre de la semaine*). Le thème de ta lettre est un des sujets suivants :

- ton musicien ou ta musicienne favorite abandonne son groupe pour une carrière en solo;
- une équipe sportive échange ton joueur favori;
- l'usage de la fourrure dans la mode.

  Prépare un brouillon de ta lettre. Échange ton brouillon avec ton ou ta partenaire et fais les corrections nécessaires. N'oublie pas d'utiliser la forme d'une lettre.

Vocabulaire utile :

Selon moi,…	Je pense que…
Je crois que…	À mon avis,…
Je trouve que…	Je suis d'accord avec…
Je ne suis pas d'accord avec….	

N'oublie pas ton vocabulaire personnel dans ton cahier.

L'Express a 25 ans!

Sais-tu qu'il y a un journal francophone à Toronto? Eh oui! Il s'appelle *L'Express*. Ce journal, qui est publié chaque semaine, est imprimé à 20 000 exemplaires. *L'Express* contient toutes sortes d'informations : des nouvelles internationales, nationales et provinciales, une page culturelle, des petites annonces et des offres d'emploi.

L'*Express* s'adresse non seulement aux Canadiens-Français, mais aussi aux francophones de toutes origines. Au début, dans les années 70, la plupart des journalistes étaient des étudiants et étudiantes bénévoles qui cherchaient à prendre de l'expérience. La compagnie a publié 2000 exemplaires du premier numéro en 1976, qui se sont tous rapidement vendus.

Aujourd'hui, *L'Express* est un journal connu et très apprécié de beaucoup de francophones et francophiles à Toronto et partout en Ontario.

La tâche finale

Maintenant, rassemble tes travaux pour créer une page de journal. La page comprend :

- un article avec titre;

- une manchette;

- une photo avec légende qui accompagne l'article;

- une lettre de la semaine.

As-tu corrigé tes brouillons?

As-tu placé tous ces éléments sur une grande feuille de papier comme une page de journal?

As-tu choisi un nom pour ton journal?

Si tu veux, tu peux ajouter d'autres éléments comme la météo et le sommaire du journal.

Après avoir fait tout cela, remets ton journal à ton ou ta professeur(e).

La cage infernale

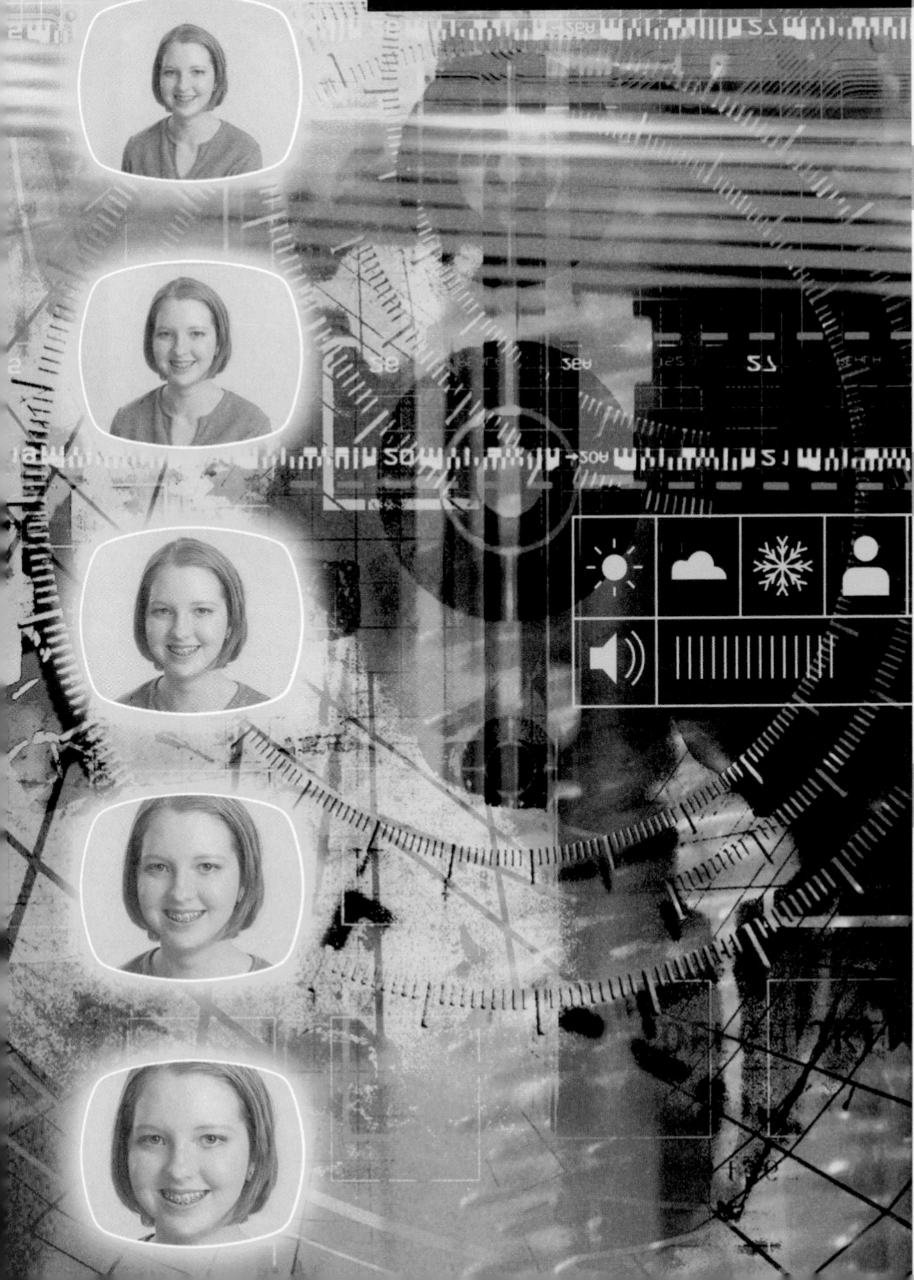

Dans cette unité, tu vas...

Parler

- des parcs d'attractions et de tes manèges préférés;
- d'un mystère.

Découvrir

- comment faire une entrevue;
- comment faire un film documentaire;
- comment analyser un mystère.

Apprendre

- à donner et à suivre des instructions;
- à utiliser les verbes au passé composé avec *être*;
- à utiliser *personne*;
- à utiliser *y*.

La tâche finale

Tu vas créer un plan d'action pour un vidéo, le dialogue d'une entrevue et la description d'un vidéo qu'on a trouvé dans *La cage infernale*.

Dans cette unité, tu liras les aventures de nos cinq amis qui découvrent :

- un parc d'attractions qui est fermé après une série d'incidents bizarres...
- des gens qui ne sont jamais revenus de leur visite au parc...
- un manège qui perd un passager à la même heure du même jour, chaque année...

As-tu le courage d'aller dans *La cage infernale*?

La souris

La cage infernale

Disparition mystérieuse

Avant de lire

- As-tu déjà visité un parc d'attractions? Comment s'appelle-t-il?

- Quels manèges est-ce que tu aimes : les montagnes russes? la grande roue? les autos tamponneuses? Quels manèges est-ce qu'on aime parce qu'ils inspirent la peur?

- Écoute une conversation entre les cinq amis, puis réponds aux questions dans ton cahier.

LE DÉFI QUOTIDIEN

Le lundi 29 juin 1978

Édition spéciale

Disparition mystérieuse au parc Chair de poule

LAURENT DUBOIS, 18 ans, du 123, rue Trudeau à Francoville-Plage, a disparu mystérieusement du parc d'attractions Chair de poule hier vers 20 h 30. Il y est allé avec son ami, Henri Duclos, 18 ans. «Laurent adore avoir peur et il adore les manèges», a dit Duclos. «Moi, je ne suis pas allé dans *La cage infernale* avec Laurent parce que ce manège va si vite qu'il me rend malade.»

Monsieur et madame Dubois, du 123, rue Trudeau avec leur fils Laurent, 18 ans, qui a disparu lors d'une visite au parc d'attractions local.

Selon son ami, Laurent est monté dans la cage numéro 7 vers 20 h 20. «C'est la dernière fois que je l'ai vu.» Personne n'est descendu de la cage numéro 7. Après deux heures de recherches, Michel Zappa, le gardien du parc, a appelé la police pour faire une enquête.

Le chef de police du village de Francoville-Plage, Wilfrid Klopf, a déclaré aujourd'hui qu'on continue à chercher Laurent. Klopf a dit au journal *Le défi quotidien* que, selon les parents du garçon, il a eu un tas d'ennuis à l'école récemment. Il voulait chercher du travail à Toronto.

As-tu compris?

Réponds aux questions suivantes.

1. Quelle est la date de la disparition de Laurent Dubois?

2. Où était Laurent quand il a disparu?

3. Qui est descendu de la cage numéro 7 à la fin du tour?

4. Qui a cherché Laurent dans le parc?

5. Pourquoi est-ce que monsieur Zappa a appelé la police?

6. Qu'est-ce que les parents de Laurent ont dit à la police?

As-tu observé?

partir

Les verbes au passé composé avec **être**

1. Lis les phrases suivantes, tirées de l'article de journal.

   a) Je ne suis pas allé dans *La cage infernale* avec Laurent.

   b) Laurent est monté dans la cage numéro 7.

   c) Personne n'est descendu de la cage numéro 7.

2. Est-ce que ces phrases décrivent le présent, le passé ou l'avenir ? Donne deux raisons.

3. Est-ce que ces verbes ressemblent au passé composé que tu as déjà appris ? Est-ce qu'ils sont différents ?

Hum... quelle est la règle ?

Devenir

Rester

Monter

Revenir

Sortir

Venir

Aller

Naître

Descendre

Entrer

Retourner

Tomber

Rentrer

Arriver

Mourir

Partir

Il y a 16 verbes en français qui forment le passé composé avec l'auxiliaire *être* au lieu d'*avoir*. Une façon de les apprendre est le système suivant :

Si on regarde les premières lettres, on voit les noms du Docteur et de Madame Vandertramp en anglais.

Pour indiquer une action répétée, on ajoute souvent *re* à un verbe. Dans la liste, tu vois *rentrer* et *revenir*. On peut aussi ajouter *re* à d'autres verbes de la liste (*remonter, ressortir, redescendre*), et puis former le passé composé avec *être*.

Les participes passés sont réguliers (*allé, parti, descendu*) avec les exceptions suivantes :

- Le participe passé de *venir* est **venu** (donc il y a aussi **devenu** et **revenu**).

- Le participe passé de *naître* est **né**.

- Le participe passé de *mourir* est **mort**.

Références : les verbes au passé composé avec être, pp. 180–181.

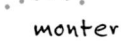
monter

APPLICATION

1. À deux, mettez les phrases suivantes oralement au *passé composé*.

> **Exemple :** Je rentre dans la maison.
>
> Je suis rentré dans la maison.

a) Je pars de la maison à 8 heures.

b) Il descend au sous-sol.

c) Elle sort avec Tyler.

d) Nous allons au centre commercial.

e) Est-ce que tu montes dans la grande roue avec ta sœur?

f) Vous arrivez en retard.

2. Mets les phrases ci-dessus à la forme négative du *passé composé*.

tomber

Pour mettre un passé composé au négatif, on met le *ne* et le *pas* autour du verbe auxiliaire *être* : Je ne suis pas allé avec Laurent.

As-tu remarqué?

arriver

Est-ce que **quelqu'un** est monté dans la cage 7?

Oui, mais **personne n**'est descendu de la cage.

On dit *quelqu'un* pour se référer à une personne quand on ne donne pas son nom. Le contraire de *quelqu'un* est *personne*. Dans ce sens, ce mot est négatif, alors il est nécessaire de mettre *ne* devant le verbe.

À deux, répondez oralement aux questions suivantes au négatif.

> **Exemple :** Est-ce que quelqu'un est retourné au parc?
>
> Non, personne n'est retourné au parc.

a) Est-ce que quelqu'un est arrivé?

b) Est-ce que quelqu'un est rentré?

c) Est-ce que quelqu'un est parti?

Deuxième disparition

■ Écoute la conversation entre Nicole et James et fais l'activité dans ton cahier. Ils discutent de leur plan d'action pour commencer leur vidéo.

LE DÉFI QUOTIDIEN

Édition spéciale

Le mardi 29 juin 1979

Deuxième disparition au parc d'attractions Chair de poule

MARTIN MONTCLAIR, 18 ans, du 123, rue Trudeau dans le village de Francoville-Plage, a disparu mystérieusement au parc d'attractions Chair de poule, près de Francoville-Plage, hier soir vers 23 h 00. Martin est allé au parc en groupe pour fêter la fin des examens. Vers 22 h 30, il a décidé d'aller dans *La cage infernale*, un manège qui attire les jeunes les plus courageux. Mais seul Martin a eu le courage d'y entrer. Quelques minutes plus tard, quand on a ouvert la porte de la cage numéro 7, personne n'est descendu. On a cherché Martin sans succès, puis on a trouvé le gardien du parc, Michel Zappa, qui a appelé la police.

Exactement un an après la disparition mystérieuse de Laurent Dubois, Martin Montclair a disparu. La police est encore à la recherche du jeune Laurent. Wilfrid Klopf, le chef de police à Francoville-Plage, dirige les deux enquêtes. Il ne prend pas au sérieux la suggestion qu'il y a un lien entre les deux incidents. Martin Montclair a eu un tas d'ennuis à l'école et a parlé d'aller à Toronto chercher du travail.

LE DÉFI QUOTIDIEN

Le vendredi 30 juin 1981

Édition spéciale

Le parc Chair de poule va fermer

WILFRID ET ANNA KLOPF, directeurs du parc d'attractions Chair de poule à Francoville-Plage, ont décidé de fermer le parc. Ils ont cité leurs problèmes financiers. Les Klopf vont vendre les manèges à d'autres parcs d'attractions. Le gardien, Michel Zappa, va rester sur la propriété pour la protéger contre les vandales.

Il y a deux jours, Steve Talbot, 18 ans, du 123, rue Trudeau dans le village de Francoville-Plage, est monté dans la cage numéro 7 du manège appelé *La cage infernale*. Sa petite amie Chantal Phillips a fait un tour avec une copine dans une autre cage. Steve n'est jamais descendu. C'est la quatrième disparition de la cage numéro 7 en quatre ans. Le chef de police, Wilfrid Klopf, nous a dit qu'il n'y a pas de lien entre les quatre incidents. Klopf ne pense pas à demander l'aide de la police provinciale parce que la situation est entre bonnes mains.

Steve Talbot, 18 ans, avec ses parents, Victor et Évelyne Talbot du 123, rue Trudeau à Francoville-Plage

As-tu compris?

Est-ce que les phrases sont vraies ou fausses? Corrige les phrases qui sont fausses.

1. Martin Montclair est la première personne qui a disparu du parc.
2. Martin est monté dans la cage numéro 9 avec une amie.
3. La police a retrouvé Laurent Dubois.
4. Les Klopf ont décidé de fermer les portes du parc le 30 juin 1981.
5. Les manèges du parc vont être détruits.
6. Steve Talbot est allé au parc avec sa sœur Chantal.

Activités orales et écrites

1. **a)** Fais un plan détaillé du parc Chair de poule. Dans ton plan, montre l'entrée du parc, *La cage infernale*, cinq autres manèges de ton choix, des restaurants et des casse-croûte, les jeux de hasard, les toilettes et le poste de premiers soins. Compare ton plan avec ceux d'autres élèves.

   b) Choisis une destination sur ton plan du parc. Donne oralement les instructions à ton ou ta partenaire pour l'aider à arriver à cette destination. Demande à ton ou ta partenaire de dire où il ou elle est arrivé(e).

Avant de parler

Pour donner des instructions :

Tourne à gauche.

Tourne à droite.

Va tout droit (ne tourne pas).

Le/La voilà… devant toi, à ta gauche, à ta droite.

Exemple :

Un nouvel élève te demande des instructions pour aller à la bibliothèque. Tu lui réponds :

Quand tu sors de la classe, tourne à gauche. Va tout droit. Quand tu arrives à l'escalier central, descends. Tourne à droite. Tu vas passer devant trois salles de classe où il y a des ordinateurs. Puis, voilà la bibliothèque à ta gauche.

2. Écoute le message que monsieur Zappa a laissé sur le répondeur de Nicole. Dans ton cahier, écris les mots qui manquent. Lis la deuxième partie du message, puis, à deux, composez les questions que Nicole a laissées sur le répondeur de monsieur Zappa.

3. Dans ton cahier, lis le texte de l'entrevue de monsieur Zappa avec la reporter Diane Yu. Puis, fais l'exercice de compréhension dans ton cahier. Après, prépare le message pour toutes les patrouilles de police de la région au sujet de la disparition de Jean-Guy Laroche. Il faut y mettre le nom de la personne qu'on cherche, son âge, son adresse, une description physique et une description de ses vêtements. Mentionne aussi où on l'a vue pour la dernière fois. Ajoute le nom et le numéro de téléphone de la personne qu'on peut contacter.

À la tâche

4. Tu vas faire un film documentaire sur le mystère de *La cage infernale*. Premièrement, il faut développer un plan d'action. Mets les étapes de préparation en ordre. Présente ton plan à ton ou ta prof et réponds à ses questions. Puis, mets ton plan dans ton portfolio.

Vocabulaire utile :

apporter	disparaître	emprunter	une entrevue
un ordinateur	répondre à	faire des recherches	

N'oublie pas ton vocabulaire personnel dans ton cahier.

Une entrevue avec Wilfrid Klopf

Avant de lire

- Avant de faire ton documentaire sur le mystère de *La cage infernale*, tu vas faire des entrevues. Avec qui est-ce que tu veux parler? Explique tes raisons.

 Voici les questions que Nicole a posées au chef Klopf et ses réponses.

Qui est-il?
C'est le chef de police du village de Francoville-Plage.

Depuis quand?
Il est devenu chef en 1975.

Est-ce qu'il se rappelle l'incident au parc en 1978?
Il donne une description exacte de l'incident.

À qui est-ce que Michel Zappa a parlé?
Au chef, qui a dirigé l'enquête.

Et la deuxième enquête?
Il dirige les quatre enquêtes.

A-t-il trouvé des points communs entre les quatre incidents?
Tous les garçons avaient des ennuis.

Il a fait des efforts pour retrouver les garçons?
Il a dit qu'ils sont probablement allés à Toronto chercher du travail.

A-t-il demandé l'aide de la police provinciale?
Pas nécessaire. Klopf a analysé la situation tout seul.

Est-ce que Zappa est le seul gardien du parc?
Oui, c'est le beau-frère de Klopf !!! Chaque fois, c'est Zappa qui a téléphoné à Klopf.

C'est vrai que Klopf est le propriétaire du parc?
Il n'a pas répondu. Il a dit qu'il était en retard à une réunion.

Des nouvelles incroyables pour Nicole

Nicole,

Tyler et moi, nous sommes allés au 123, rue Trudeau. Mais au lieu d'une maison, on a trouvé un vieux cinéma au 121, rue Trudeau, entouré de vieux magasins du 119 au 125. Il n'y a pas de 123! On a parlé à un vieil homme, le gardien du cinéma, et il nous a dit que le cinéma date de 1958. C'est bizarre, non? Il nous a parlé de la disparition des garçons. « une vieille histoire » selon lui, mais il n'a pas d'autres informations. Alors, on a cherché les familles des garçons disparus dans l'annuaire téléphonique et elles ne semblent pas avoir existé - pas un seul numéro de téléphone! Bonne nouvelle, on a trouvé le numéro de téléphone d'Henri Duclos, le témoin de 1978, et on va lui parler demain. À bientôt!

Dominique

As-tu compris?

Relis les réponses de Klopf aux questions de Nicole et puis relis la lettre de Dominique. Ensuite, réponds aux questions suivantes.

1. Nomme deux choses que tu sais au sujet du chef Klopf.

2. Nomme deux choses que tu sais au sujet de Michel Zappa.

3. Pourquoi est-ce que le chef Klopf n'a pas demandé l'aide de la police provinciale?

4. À quelle question est-ce que le chef Klopf a refusé de répondre?

5. Qu'est-ce que Dominique et Tyler ont trouvé quand ils sont allés au 123, rue Trudeau?

6. Qui ont-ils rencontré au cinéma?

7. Qu'est-ce qu'ils ont découvert dans l'annuaire téléphonique?

8. À qui vont-ils parler?

As-tu observé?

Le pronom y

1. Regarde les phrases suivantes.

   a) Laurent **y** est allé avec Henri.

   b) Ils n'**y** ont pas trouvé de maison.

2. Quel petit mot retrouves-tu dans ces phrases? À quelle question est-ce que le mot **y** répond? Quels mots est-ce que **y** remplace?

Hum... quelle est la règle?

- D'habitude, **y** décrit un lieu et répond à la question **où**.

- **Y** ne réfère jamais aux humains.

Références : le pronom y, pp. 171–172.

APPLICATION

1. Remplace les mots en caractères gras par **y**.

   Exemple : Es-tu allé **au parc**? → Oui, j'**y** suis allé.

   a) Es-tu monté **dans *La cage infernale***?

   b) Henri a laissé son argent **dans sa voiture**?

   c) As-tu mangé **au restaurant**?

2. Maintenant, réponds ***non*** aux questions ci-dessus.

   Exemple : Es-tu allé **au parc**? → Non, je n'**y** suis pas allé.

As-tu remarqué?

 Dans la lettre de Dominique à la page 101, trouve les trois formes de l'adjectif *vieux* au singulier. Maintenant, tourne à l'activité dans ton cahier.

Activités orales et écrites

1. À deux, préparez et présentez l'entrevue de Nicole avec le chef de police Klopf. Utilisez les notes de Nicole à la page 100 du livre.

2. Dominique a voulu parler avec les parents des garçons disparus. À deux, composez cinq questions importantes à leur poser.

   Exemple : Est-ce que votre fils est entré en contact avec vous?

3. Dominique et Tyler n'ont pas trouvé de maison au 123, rue Trudeau. En petits groupes, trouvez trois explications à ce mystère. Comparez vos explications avec celles d'un autre groupe.

À la tâche

4. Relis le premier article de journal aux pages 92 et 93 de ton livre. Il décrit la disparition de Laurent Dubois. À deux, préparez et présentez une entrevue de Dominique ou Tyler avec Henri Duclos, l'ami de Laurent Dubois. Monsieur Duclos, qui est maintenant un adulte, ne change pas son histoire originale. Vous pouvez aussi incorporer dans votre entrevue l'information sur la maison de Laurent.

   Voici une façon de commencer l'entrevue :

   Q : Monsieur Duclos, vous êtes allé au parc Chair de poule avec Laurent Dubois, n'est-ce pas?

   R : Oui, c'est vrai.

   Q : Est-ce que vous êtes monté dans *La cage infernale* avec Laurent?

Vocabulaire utile :

aller   descendre   disparaître   une enquête   monter

N'oublie pas ton vocabulaire personnel dans ton cahier.

Une visite à l'hôtel de ville

Avant de lire

■ Melissa a décidé de demander des informations sur les garçons disparus à l'école secondaire Francoville-Plage. Écoute la conversation téléphonique entre Melissa et la secrétaire de l'école, puis explique ce que Melissa a découvert.

Regarde le scénario-maquette suivant. Il décrit où Dominique et Tyler sont allés après leur visite au cinéma. Puis, réponds aux questions.

1. Nous sommes sortis du vieux cinéma.

2. Nous sommes allés à l'hôtel de ville.

3. J'y suis entrée, mais Tyler est resté dehors.

4. Une employée est venue et je lui ai parlé des familles des garçons disparus.

5. Elle est allée consulter les dossiers du village.

6. Elle est revenue sans information. Ces familles n'ont jamais existé!

As-tu compris?

1. De quel bâtiment est-ce que Dominique et Tyler sont sortis?

2. Où est-ce qu'ils sont allés après?

3. Qui y est entré?

4. De quoi est-ce que Dominique a parlé à l'employée?

5. Qu'est-ce que l'employée a consulté?

6. Qu'est-ce qu'elle a dit à Dominique?

As-tu observé?

Regarde les phrases suivantes.

L'accord des verbes au passé composé avec **être**

1. Regarde les phrases suivantes.

   a) Nous sommes sorti**s** du vieux cinéma.

   b) J'y suis entré**e**, mais Tyler est resté dehors.

   c) Elle est allé**e** consulter les dossiers du village.

2. Quand on forme le passé composé avec *être*, le participe passé est traité comme un adjectif. Le sujet du verbe détermine comment le verbe va se terminer.

3. Dans la première phrase, le sujet *nous* est au masculin pluriel, donc on ajoute un *s* au participe passé.

4. Dans les deuxième et troisième phrases, le sujet est au féminin singulier, donc on ajoute un *e* au participe passé. Dans la deuxième phrase, le sujet *je* est au féminin (c'est Dominique). Qu'est-ce qu'on ajoute si le sujet est au féminin pluriel?

Hum… quelle est la règle?

Quand on forme le passé composé avec *être*, le participe passé s'accorde avec le sujet en genre et en nombre.

je : masculin, singulier	J'y suis **allé.**
je : féminin, singulier	J'y suis **allée.**
tu : masculin, singulier	Tu y es **allé.**
tu : féminin, singulier	Tu y es **allée.**
il : masculin, singulier	Il y est **allé.**
elle : féminin, singulier	Elle y est **allée.**

nous :	masculin, pluriel ou mixte, pluriel	Nous y sommes **allés.**
nous :	féminin, pluriel	Nous y sommes **allées.**
vous :	masculin, singulier	Vous y êtes **allé,** monsieur?
vous :	féminin, singulier	Vous y êtes **allée,** madame?
vous :	masculin, pluriel ou mixte, pluriel	Vous y êtes **allés,** mes amis?
vous :	féminin, pluriel	Vous y êtes **allées,** mes amies?
ils :	masculin, pluriel ou mixte, pluriel	Ils y sont **allés.**
elles :	féminin, pluriel	Elles y sont **allées.**

Regarde ce qui peut arriver quand le sujet est *vous.*

Monsieur Klopf, est-ce que vous êtes **allé** au parc le soir de l'incident?

(masculin, singulier)

Madame Toussaint, est-ce que vous êtes **sortie** avec Dominique hier soir?

(féminin, singulier)

Tyler et Dominique, est-ce que vous êtes **restés** longtemps au vieux cinéma?

(mixte, pluriel)

Melissa et Nicole, est-ce que vous êtes **retournées** à l'école?

(féminin, pluriel)

Références : l'accord des verbes au passé composé avec être, pp. 180–181.

1. D'abord, écoute la conversation avec Chantal, la petite amie de Steve Talbot. Fais l'exercice de compréhension dans ton cahier. En petits groupes, considérez l'information que vous avez. Faites un remue-méninges sur les actions du chef Klopf entre 1978 et 1981 en réponse à ses problèmes financiers au parc. Faites une liste détaillée et comparez votre liste avec celle d'un autre groupe.

2. En groupes de trois, créez une conversation. Un membre du groupe joue le rôle de Melissa, un autre membre est Nicole ou James, et le troisième membre est Dominique ou Tyler. Dites à qui vous avez parlé à Francoville-Plage et ce que vous avez découvert. Commencez par «J'ai parlé à… » et «J'ai découvert que… ». Puis, présentez votre dialogue à un autre groupe.

3. Dans ton cahier, il y a un tableau qui donne une liste d'incidents et de gens qui figurent dans le mystère de *La cage infernale*. Complète le tableau avec les informations que tu as. En petits groupes, cherchez une explication raisonnable du mystère. Comparez votre explication avec celle d'un autre groupe.

À la tâche

4. Quelques années plus tard, le chef Klopf a réussi à vendre ses manèges à un autre parc d'attractions. Dans la cage numéro 7 de *La cage infernale*, on a trouvé une vidéocassette. Écris au moins cinq phrases qui décrivent les scènes différentes dans ce vidéo.

Vocabulaire utile :

aller   entrer   descendre   monter   retourner   revenir

N'oublie pas ton vocabulaire personnel dans ton cahier.

Tu veux en savoir plus?
Consulte notre site Web à :
www.pearsoned.ca/school/fsl

Disneyland Paris

Les parcs Disney en Californie et en Floride ont toujours eu de grands succès. Eurodisneyland a ouvert ses portes aux visiteurs le 12 avril 1992, près de Paris. Dès le premier jour, ce parc a été en difficulté. Ce jour-là, on attendait 500 000 visiteurs, mais seulement 50 000 sont venus. Le parc a eu deux années difficiles, mais finalement il a reçu une somme d'argent qui l'a aidé énormément.

En octobre 1994, on a changé le nom du parc pour Disneyland Paris. Au début de 1995, on a décidé de laisser les enfants entrer au parc sans payer entre les mois de janvier et mars. Finalement, en 1995, le parc a annoncé un profit pour la première fois. Disneyland Paris est maintenant aussi populaire que les parcs Disney de Californie, de Floride et du Japon.

Disneyland Paris :
- c'est à 32 kilomètres de Paris;
- ça couvre 1 943 hectares de terrain;
- il y a un stationnement pour 11 000 véhicules;
- il y a plus de 40 attractions;
- il y a de beaux hôtels;
- il y a d'excellents restaurants;
- il y a des magasins pour tout le monde.

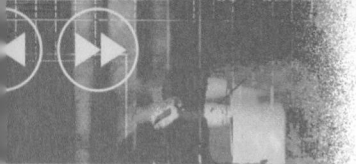

La tâche finale

As-tu préparé :

- ton plan d'action pour la production de ton vidéo?

- ton entrevue avec Henri Duclos?

- ta description du vidéo qu'on a trouvé dans la cage numéro 7?

Maintenant, donne ton portfolio à ton ou ta prof.

Si tu veux, présente ton entrevue avec Henri, ou ta description du vidéo trouvé dans la cage numéro 7 aux autres élèves.

Terre à terre

Dans cette unité, tu vas...

Parler

- des magazines;
- de la vie sur Terre du point de vue d'un extraterrestre.

Découvrir

- comment écrire une critique;
- des faits sur la France;
- des faits sur l'éducation en France.

Apprendre

- à utiliser les pronoms relatifs;
- à utiliser les pronoms disjoints.

La tâche finale

Tu vas créer un article, une histoire en images et une critique pour un magazine.

Allons-y !

1. Qu'est-ce que la couverture d'un magazine nous dit?

2. Regarde les photos sur ces deux pages. À qui ces magazines s'adressent-ils?

3. Quand tu choisis un magazine, est-ce que tu préfères un magazine sur un seul thème, comme les sports, ou un magazine qui a des articles sur beaucoup de sujets?

4. Quel est le titre du magazine que tu préfères?

5. Pourquoi est-ce que tu l'aimes? (l'intérêt, les photos, le sujet, etc.)

Québec Science

Découverte : un nouveau système solaire

Volume 38, numéro 1
Septembre 1999, 4,35 $

Science

L'école casse-tête

Réussir en classe ? Terrible pour les uns, « full » facile pour les autres. Voici pourquoi.

Le secret de Cléopâtre

Un échange à Paris

- Les cinq amis canadiens viennent de revenir d'un échange à Paris. Leur prof de français leur a demandé de créer un magazine qui décrit la vie en France. Écoute la conversation entre Melissa, Nicole et Tyler au sujet du magazine, puis réponds aux questions dans ton cahier.

Quiz: Connais-tu bien les Français?

Il y a beaucoup de stéréotypes associés à la France et aux Français.
Lis les énoncés suivants et décide s'ils sont vrais ou faux.

En France,

1. le repas de midi s'appelle le déjeuner.

2. les ados adorent manger du fast-food.

3. «le parking» et «faire du shopping» sont des expressions qu'on utilise tout le temps.

4. on voit beaucoup d'émissions américaines doublées en français à la télé.

5. la plupart des ados travaillent à temps partiel.

6. il y a beaucoup d'activités parascolaires (des clubs, des équipes) après l'école.

7. on reste longtemps à table pour parler et manger.

8. c'est difficile de trouver du ketchup dans un restaurant typiquement français.

9. les ados préfèrent porter des jeans, des t-shirts et des chaussures de sport.

10. c'est normal d'avoir deux à trois heures de devoirs par jour.

11. les Français n'acceptent pas qu'on s'embrasse en public.

12. la journée à l'école est très courte.

13. on doit avoir seize ans pour conduire une auto.

14. la plupart des écoles sont publiques.

15. les élèves doivent porter un uniforme.

16. le sport le plus populaire est le cyclisme.

17. la devise nationale est : «Liberté, fraternité, maternité».

18. à la fin de la dernière année de l'école secondaire, on doit passer des examens difficiles.

19. le matin, on mange des céréales, des œufs et du bacon.

20. il y a une grande variété d'accents français dans les régions du pays.

Analyse des résultats

15 à 20 bonnes réponses :	Tu es un(e) vrai(e) francophile! Félicitations!
10 à 14 bonnes réponses :	Tu t'intéresses à la France mais tu veux en connaître plus!
5 à 9 bonnes réponses :	Il faut t'informer un peu plus.
0 à 4 bonnes réponses :	Non! Pépé le Pew ne parle pas bien français!

La vie en France

■ Quelles sections d'un magazine est-ce que tu aimes lire :
la musique, la mode, les sports, les annonces publicitaires,
le maquillage, l'horoscope, les articles sur les vedettes,
les conseils pratiques ou les sondages?

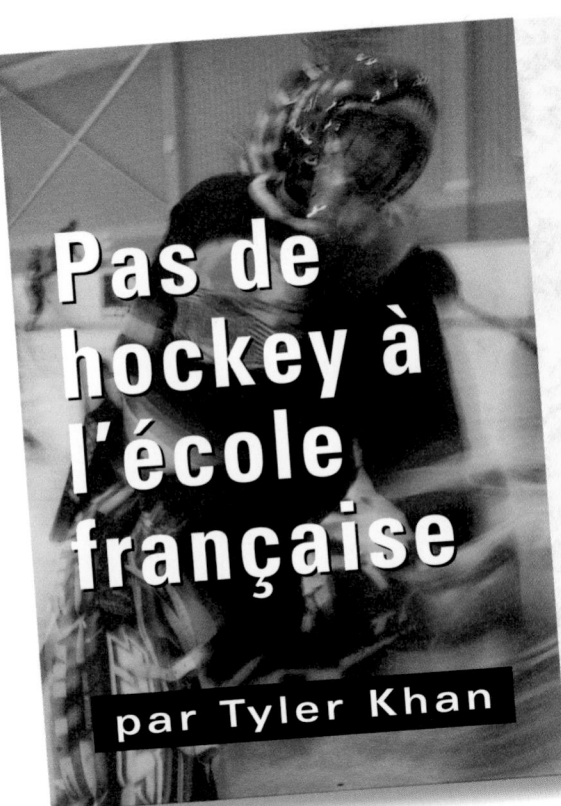

Pas de hockey à l'école française

par Tyler Khan

Dans un lycée (une école secondaire) en France, les élèves peuvent participer à différents sports d'équipe. L'éducation physique est obligatoire pour tous les élèves. La natation et la lutte sont deux sports qui sont offerts aux élèves français. Les jeunes Français jouent aussi au football, le sport qu'on appelle «le soccer» au Canada. Et n'oublions pas les matchs de volley-ball et de basket-ball que j'ai vus dans plusieurs écoles. Ce sont tous des sports scolaires et comme nous, au Canada, les élèves français les aiment. Les jeunes peuvent participer à beaucoup de sports mais moi, en vrai Canadien, c'est le hockey qui m'intéresse! En France, à l'école secondaire, on ne joue pas au hockey. En effet, il n'y a pas beaucoup de patinoires en France. Alors, si tu es un jeune Français et que le hockey t'intéresse, ce n'est pas à l'école que tu vas jouer. Seulement quelques quartiers français ont des équipes de hockey où les jeunes pratiquent ce sport.

As-tu compris?

Complète les phrases suivantes sur une feuille de papier. Tu trouveras les mots qui manquent dans l'article de Tyler.

1. Les élèves peuvent participer à différents _____ d'équipe.

2. Le football en France est le même sport que le _____ au Canada.

3. Les jeunes ne jouent pas au _____ à l'école secondaire.

4. En effet, il n'y a pas beaucoup de _____ en France.

un amour de Chocolat ♡

par Nicole Rossi

Pour une Tunisienne, c'est une expérience fantastique de visiter la France. Comme j'adore cuisiner et manger, j'ai pu apprécier les différentes spécialités du pays. Mais, pour moi, ma plus grande découverte à Paris est un petit restaurant qui s'appelle *Le Château Suisse!* Le fromage suisse est très bon. Les Suisses utilisent très souvent le fromage pour cuisiner. Par exemple, j'ai mangé de la raclette. C'est du fromage fondu qu'on mange avec des pommes de terre. Les Suisses mangent aussi beaucoup de chocolat. À mon avis, le meilleur est le chocolat aux noisettes, et mon dessert préféré est la mousse au chocolat. Puisque j'adore ce dessert, je vais vous en donner la recette. Essayez-la, je suis sûre que vous allez l'adorer!

Mousse au chocolat suisse

150 grammes de chocolat suisse
100 ml de crème à fouetter
1 œuf

1. Couper le chocolat en petits morceaux.
2. Faire fondre le chocolat.
3. Fouetter la crème.
4. Mélanger le chocolat et l'œuf.
5. Laisser refroidir le chocolat.
6. Incorporer la crème fouettée dans le mélange de chocolat.
7. Laisser refroidir 3 heures au réfrigérateur avant de servir.

As-tu compris?

Réponds aux questions suivantes.

1. Quel est le nom du restaurant à Paris que Nicole a aimé?

2. Quelles sont les deux spécialités suisses que Nicole a mangées?

3. Quel est son dessert préféré?

4. Quel est ton dessert préféré?

As-tu observé?

Les pronoms relatifs

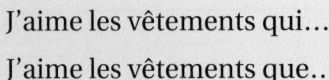

1. Fais des phrases complètes en choisissant le bon commencement de phrase dans la boîte.

> J'aime les vêtements qui...
>
> J'aime les vêtements que...

a) ne coûtent pas cher

b) mes amis portent

c) sont à la mode

d) je fais moi-même

e) sont beaux et confortables

Hum... quelle est la règle?

Pour relier deux phrases où il y a une répétition, on utilise les pronoms relatifs *qui* ou *que*.

qui + verbe

J'aime les vêtements.   ~~Les vêtements~~ sont à la mode.

J'aime les vêtements qui sont à la mode.

que + sujet

J'aime les vêtements.   Mes amis portent ~~ces vêtements~~.

J'aime les vêtements que mes amis portent.

Références : les pronoms relatifs, pp. 172–173.

1. Complète les phrases suivantes oralement à l'aide de **qui** ou **que**.

    a) C'est James   joue au badminton.

    b) C'est Nicole   veut avoir un restaurant un jour.

    c) C'est le sport   Dominique préfère.

    d) C'est Melissa   tu cherches.

Quand on met **que** devant un mot qui commence par une voyelle, il devient **qu'**. **Qui** ne change pas.

J'aime les vêtements **qu'elle** fait.

2. Complète oralement les phrases suivantes par **que** ou **qu'**.

    a) C'est mon cousin   Melissa aime.

    b) C'est mon cousin   elle aime.

    c) C'est la disquette   Tyler a utilisée.

    d) C'est la disquette   il a employée.

3. Relie les paires de phrases en une seule sur une feuille de papier. On a identifié les mots répétés pour toi.

    Exemple : C'est Nicole. **Nicole** va préparer un dessert.

                     C'est Nicole qui va préparer un dessert.

    a) C'est le chocolat. Je dois faire fondre **le chocolat**.

    b) C'est l'œuf. **L'œuf** va dans le bol.

    c) C'est la crème. Je dois fouetter **la crème**.

    d) Voilà les ingrédients. Je mélange **les ingrédients**.

1. Imagine que tout le monde dans la classe vient d'une autre planète. À deux, faites une liste de cinq observations qui démontrent que les humains mangent très différemment des habitants de votre planète. Partagez vos observations avec un autre groupe.

    Voici un exemple : (la nourriture) *Les humains mettent leur nourriture dans la bouche. Sur notre planète, nous mettons notre nourriture dans l'oreille.*

2. Formez des groupes de cinq extraterrestres. Chaque groupe va choisir un de ces thèmes : les sports, la musique, la danse, la télévision ou les vêtements. Discutez et écrivez sur une feuille de papier la chose la plus bizarre que les humains font en rapport avec ce thème.

    Voici un exemple : (les sports) *Les humains jouent au hockey sur la glace. Ils tombent souvent.*

    Ensuite, faites circuler les feuilles de papier. Chaque groupe doit y inscrire une autre idée. Quand tous les groupes ont fait une observation sur chaque feuille, un représentant du groupe va lire toutes les observations à la classe.

3. Lis attentivement les phrases suivantes à la page 121. Elles forment un paragraphe. Chaque phrase a une fonction spécifique dans le paragraphe. Premièrement, mets les phrases en ordre pour avoir un paragraphe au sujet des vêtements. Puis, identifie la fonction de chaque phrase en te servant de la boîte à ressources.

Boîte à ressources :

la phrase d'introduction

le développement

la phrase de conclusion

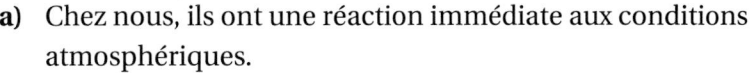

a) Chez nous, ils ont une réaction immédiate aux conditions atmosphériques.

b) Donc, il n'est pas nécessaire sur notre planète d'avoir une grande collection de manteaux et de chandails.

c) Les habitants de la Terre ne sont pas très avancés.

d) Quand il fait froid, le vêtement offre automatiquement plus de protection contre les effets de la température.

e) Sur Terre, par exemple, on doit choisir les vêtements selon la température.

Pour trouver la phrase d'introduction, trouve la phrase qui donne le contexte, ou le sujet général du paragraphe. Les phrases de développement donnent des informations spécifiques. La phrase de conclusion présente le résultat, la conséquence ou l'information finale.

À la tâche

4. Les cinq élèves canadiens vont créer un magazine qui décrit la vie en France. Tu vas créer un magazine qui décrit la vie sur Terre du point de vue d'un extraterrestre. Maintenant, en jouant le rôle d'un visiteur d'une autre planète, écris un article pour ton magazine où tu donnes tes observations sur un aspect de la vie humaine.

a) Choisis **un** des thèmes suivants : la musique, les sports, l'école, la nourriture ou les vêtements.

b) Écris une phrase d'introduction, trois phrases de développement et une phrase de conclusion.

c) Passe ton brouillon à ton ou ta partenaire. Est-ce que tous les éléments nécessaires sont présents? Est-ce qu'il y a des fautes de français?

d) Fais les corrections à ton brouillon et mets l'article dans ton portfolio. Cette activité fait partie de la tâche finale.

Vocabulaire utile :

les habitudes   un humain   la nourriture   un visiteur

N'oublie pas ton vocabulaire personnel dans ton cahier.

Québe

Mon voyage en France : une histoire en images

Avant de lire

- Si un visiteur de la Terre arrive sur *ta* planète, qu'est-ce qu'il va trouver de différent dans ton école et ton système d'éducation? Tu peux considérer, par exemple, les salles de classe, la cafétéria, la bibliothèque, les matières qu'on étudie, les sports et les activités parascolaires.

Voici un extrait de l'album que Melissa a rempli après son voyage en France.

Le jour de notre arrivée! Nous n'avons pas beaucoup dormi dans l'avion. Alors, nous sommes très fatigués. Les élèves français sont très gentils. Ce sont eux qui ont préparé la bannière.

Les marchés français.
Il y en a partout en France.
Tyler a beaucoup d'argent
de poche. C'est lui qui
achète des souvenirs pour
ses parents.

Nous voici tous chez
McDonald. Dominique et
moi adorons les frites. C'est
elle et moi qui admirons le
beau garçon dans le coin.
James, lui, est fou des
hamburgers. Ce jour-là,
il en a mangé quatre!
Quel gourmand!

menu

Ah! Le magasin Madame France. On trouve ce grand magasin dans beaucoup de villes en France. Les magasins... pour moi, c'est le paradis sur terre. J'adore magasiner!

As-tu compris?

Complète les énoncés à gauche sur une feuille de papier en te servant des conclusions à droite.

phrases

1. Melissa trouve les élèves français très gentils parce qu'ils…

2. Tyler achète des souvenirs pour ses parents parce qu'il…

3. Melissa pense que James est fou des hamburgers parce qu'il…

4. Selon Melissa, les magasins sont le paradis sur terre parce qu'elle…

conclusions

a) ont préparé la bannière.

b) adore magasiner.

c) en a mangé quatre.

d) a beaucoup d'argent de poche.

Les pronoms disjoints

1. Lis les phrases suivantes.

   a) C'est **nous** à l'aéroport.

   b) Ce sont **eux** qui ont préparé la bannière.

   c) Dominique et **moi** adorons les frites.

   d) James, **lui**, est fou des hamburgers.

   e) Les magasins… pour **moi**, c'est le paradis.

pronom sujet	pronom disjoint
je	moi
tu	toi
il	lui
elle	elle
nous	nous
vous	vous
ils	eux
elles	elles

Regarde la liste de pronoms à gauche. Pour chaque pronom sujet, il y a un pronom disjoint correspondant.

Hum… quelle est la règle?

On emploie un pronom disjoint…

- après *c'est* (C'est nous à l'aéroport.);

- quand il y a plusieurs sujets dans la phrase (Dominique et moi adorons les frites.);

- pour insister sur le sujet (James, lui, est fou du chocolat.);

- après les prépositions (pour moi, chez moi, à moi).

Références : les pronoms disjoints, pp. 173–174.

As-tu remarqué?

Ce sont eux qui ont préparé la bannière.

On change *c'est* à *ce sont* devant *eux* ou *elles*. (Mais, dans la conversation de tous les jours, beaucoup de personnes disent *C'est eux* et *C'est elles*.)

1. Réponds oralement aux questions suivantes.

Exemple : C'est Tyler qui regarde les robes?

Non, ce n'est pas **lui**. C'est Melissa.

a) C'est James qui regarde les vêtements de sport?

b) C'est Nicole qui pense à acheter un ordinateur?

c) C'est Dominique et Melissa qui regardent les disques?

d) C'est Tyler qui cherche quelque chose à manger?

Activités orales et écrites

1. Imagine que tu as pris les photos suivantes pendant ta visite sur Terre. Tu vas envoyer ces photos à tes ami(e)s sur ta planète. À deux, écrivez une phrase d'explication pour chaque photo sur une feuille de papier. Comparez vos phrases avec celles d'autres groupes. Voici deux exemples :

b)

Les humains mangent par terre. C'est bizarre!

Voici Rosalie et Ruff. Rosalie est l'humain.

c)

d)

f)

2. Formez des groupes de six extraterrestres. La première personne dit un mot associé à la vie scolaire (par exemple, le football). Elle dit le mot à la personne à sa gauche qui doit créer une phrase pour expliquer aux gens de sa planète la vie sur Terre (par exemple : Ici, les garçons et les filles jouent au football). Puis cette deuxième personne passe un autre mot à la personne à sa gauche et ainsi de suite.

3. Votre prof va donner une photo à chaque groupe. D'abord, choisissez le membre de votre groupe qui a pris la photo. Puis, les autres vont lui poser des questions (qui, quand, où, quoi, pourquoi). Après, créez deux phrases pour décrire ce qui se passe dans la photo. Comparez vos phrases avec celles d'un autre groupe.

À la tâche

4. **a)** Fais une collection de six images qui racontent une histoire. Tu peux utiliser des photos tirées d'un journal ou d'un magazine, des photos personnelles ou même des dessins que tu as faits.

b) Arrange les images pour raconter une histoire.

c) Écris une ou deux phrases pour décrire chaque image à tes amis sur ta planète.

d) Donne ton brouillon à ton ou ta partenaire. Est-ce que tous les éléments nécessaires y sont présents? Est-ce qu'il y a des fautes de français à corriger?

e) Fais tes corrections et mets ton histoire en images dans ton portfolio.

Cette activité fait partie de la tâche finale.

Vocabulaire utile :

bizarre   les images   la vie scolaire   une visite

N'oublie pas ton vocabulaire personnel dans ton cahier.

Tu veux en savoir plus?
Consulte notre site Web à :
www.pearsoned.ca/school/fsl

Le système scolaire en France

Voici comment l'éducation est divisée en France. C'est un peu différent du système canadien.

Âge	École	Nombres d'années	Équivalent en Ontario
5 ans	la maternelle	1	le jardin d'enfants
6 à 10 ans	l'école primaire	5	1e–5e année
11 à 14 ans	le collège	4	6e–9e année
15 à 17 ans	le lycée	3	10e–12e année

À la maternelle comme à l'école primaire, tous les élèves suivent le même programme. En première année du collège, tout le monde commence à étudier une langue étrangère et on doit continuer avec cette langue jusqu'à la fin de sa scolarité. Les langues les plus populaires sont l'anglais, l'allemand et l'espagnol. En troisième année du collège on doit choisir une deuxième langue étrangère! Au lycée, les élèves doivent choisir un domaine. Il y en a trois : littéraire (les langues, la littérature, la philosophie), économique (l'économie, les mathématiques et les langues) et scientifique (les mathématiques et les sciences).

À la fin du lycée, tous les élèves doivent passer une série d'examens nommée le baccalauréat. Ces examens sont très longs et très difficiles. Tous les élèves français font les examens du baccalauréat en même temps : par exemple, le 15 juin à neuf heures du matin tous les élèves en France à leur dernière année de lycée vont faire le même examen de philosophie.

Tout le monde est critique

- Est-ce que tu lis les critiques de films ou de musique? Est-ce que les critiques t'influencent quand tu choisis un film, ou quand tu achètes un disque?

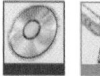

- Écoute la conversation suivante, puis fais l'activité de compréhension dans ton cahier.

DISQUES *par James Cormier*

Charlotte Brune — toute seule

(Les Disques Renard)

Toute la France parle du dernier disque compact de Charlotte Brune. Elle chante pour la première fois sans son partenaire Derek Russell. Au Canada, le disque va être en vente dans quelques mois. Moi, je l'ai acheté en France et je l'écoute jour et nuit. Il y a des ballades, du jazz et des chansons plus rythmées. C'est un vrai mélange. C'est le disque compact le plus écouté en Europe en ce moment. Je pense qu'il va avoir beaucoup de succès au Canada.

La musique est tellement jolie que j'ai déjà appris à jouer mes morceaux préférés sur ma guitare. Un petit problème : mon amie veut chanter pendant que je joue de la guitare. Mais, elle ne peut pas parce que les paroles des chansons ne sont pas inscrites sur la jaquette du disque compact. Moi, je veux les paroles!

Selon moi, Charlotte va avoir beaucoup de succès sans Derek. Elle a la meilleure voix des deux. Elle chante mieux que lui. Ce disque est plus varié que les disques que Charlotte et Derek ont faits ensemble, et que je commence à trouver un peu ennuyeux. En conclusion, n'hésitez pas à acheter ce disque compact qui va vous enchanter. C'est à vous de le trouver et de l'acheter aussi vite que possible!

La cage infernale

Film d'horreur; 90 minutes; adultes et adolescents—pas pour les enfants

Qui est allé au cinéma en France? Moi. Qui a aimé l'expérience? Pas moi!

Vous avez du mal à dormir? J'ai la solution parfaite pour vous : allez vite voir *La cage infernale*, le nouveau film du réalisateur français Arthur Fraîchebise. Dix minutes de ce film minable et vous allez dormir comme un bébé tellement c'est ennuyant! C'était mon expérience personnelle : moi, j'ai regardé les dix premières minutes et puis je me suis endormie. Malheureusement, j'ai dû retourner au cinéma le lendemain avec un gros café noir pour voir le film en entier!

Le film raconte l'histoire d'un parc d'attractions appelé Chair de poule. Chaque année à la même date, un adolescent disparaît à l'intérieur d'un manège qui s'appelle *La cage infernale*. Au commencement, l'histoire semble intéressante, mais elle devient vite très répétitive, surtout après la troisième disparition. J'ai regardé les quinze premières minutes et j'ai vite compris le mystère. Le réalisateur nous a révélé trop d'indices du crime, donc il n'y a pas vraiment de suspense. Les acteurs, eux, sont simplement horribles, surtout le chef de police et le gardien du parc.

Par contre, la musique est excellente. Elle seule crée une atmosphère de suspense. Elle est aussi très forte, donc quand j'ai commencé à dormir, la musique m'a réveillée. Mais les décors! Le parc est évidemment une maquette en plastique! Et on dit que monsieur Fraîchebise a dépensé 15 000 000 de dollars pour ce film!

En somme, ne courez pas au cinéma voir *La cage infernale*. Bientôt, la vidéocassette va arriver sur le marché. Vous allez dormir plus confortablement chez vous devant votre téléviseur que dans un fauteuil de cinéma, n'est-ce pas?

Disques

1. Où est-ce que James a acheté le disque de Charlotte Brune? Est-ce qu'on peut l'acheter au Canada?

2. Lesquels de ces éléments est-ce que James mentionne dans sa critique?
   - la variété de rythmes
   - les paroles des chansons
   - la voix de la chanteuse
   - les instruments de musique
   - la jaquette : les notes, les photos, etc.
   - la durée en minutes

3. Pourquoi est-ce que James préfère écouter Charlotte Brune chanter sans son partenaire Derek?

4. Quel conseil est-ce que James nous donne à la fin de sa critique?

Cinéma

1. Trouve l'information suivante sur le film que Dominique a vu :
   - le titre du film
   - le genre
   - la durée en minutes
   - le public approprié
   - le nom du réalisateur
   - le coût de production du film

2. **a)** Est-ce que la réaction générale de Dominique est positive ou négative?

   b) Voici quelques mots que Dominique emploie dans sa critique. Est-ce qu'elle les emploie pour en donner une impression favorable ou négative?

   minable   ennuyant   répétitive   horribles   excellente

3. Après combien de minutes est-ce que Dominique a compris le mystère?

4. Nomme deux éléments que Dominique n'aime pas et un élément qu'elle aime dans le film.

5. Si on loue la vidéocassette, qu'est-ce qu'on peut faire confortablement?

As-tu observé?

Les adjectifs irréguliers

1. Quand un adjectif se termine en *–er* au masculin, sa forme féminine se termine en *–ère*.

   a) J'ai dû retourner au cinéma pour voir le film en **entier**.

   b) Charlotte chante pour la **première** fois sans son partenaire Derek.

   Cher James   Chère Melissa

   Mes chers parents   Mes chères amies

   Quelques adjectifs de ce groupe sont *cher, dernier, entier* et *premier*.

APPLICATION

Remplace les mots en couleur par les mots entre parenthèses. Écris les phrases sur une feuille de papier. Fais bien l'accord des adjectifs!

a) J'ai vu le film le mois *dernier*. (la semaine)

b) Mathieu a mangé le gâteau *entier*. (la tarte)

c) Nous n'avons pas vu le *premier* film de ce réalisateur. (les pièces de théâtre)

d) Avez-vous rencontré ma *chère* amie Tanya? (mes amies Marie et Louise)

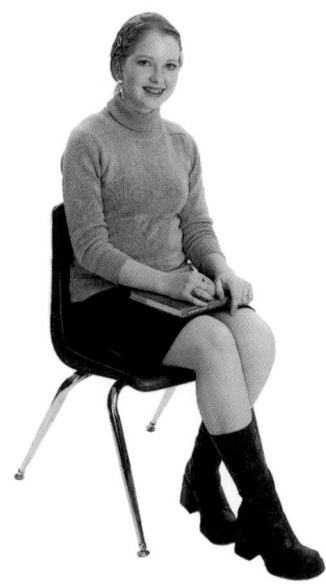

Voici deux autres emplois des pronoms disjoints :

a)   Qui est allé au cinéma en France? **Moi**.

Dans une réponse sans verbe et avec les adverbes *aussi* et *non plus*

b)   Elle chante mieux que **lui**.

Quand on fait une comparaison, on emploie **que** + un pronom disjoint.

APPLICATION

Utilise un pronom disjoint pour remplacer le mot ou les mots en couleur. Pour t'aider, réfère-toi à la page 125 de ton livre. Lis les phrases à voix haute.

a)   – Mes amis et moi, nous sortons ce soir.

– Ah oui? Avec qui tu sors?

– Avec Alex et Robert.

b)   – Voudrais-tu venir au cinéma avec Alex, Robert et moi?

– Oh oui! J'aimerais bien y aller avec Alex, Robert et toi!

(le lendemain…)

c)   – Avez-vous aimé le film hier soir, Alex, Robert et toi?

– Non, je ne l'ai pas aimé du tout! Alex et Robert non plus!

d)   Lucie et Caroline aussi, elles sont allées voir le film. Caroline m'a dit qu'elles l'ont trouvé abominable!

e)   Alex a critiqué le film plus négativement que Caroline.

f)   Et Lucie, est-elle moins déçue que les autres?

g)   Non. Personne n'a aimé le film. Lucie non plus.

1. À deux, choisissez une série télévisée. Toi et ton ou ta partenaire êtes des extraterrestres. Vous vous intéressez à la représentation de la vie sur Terre. Développez une critique orale de la série. Une personne fait une critique favorable de la série et l'autre fait une critique négative. Choisissez *trois* des critères suivants :

   a) les acteurs et actrices : jouent-ils bien leurs rôles? Est-ce que vous vous intéressez aux personnages à cause des acteurs?

   b) l'intrigue : Comment est-elle, intéressante, instructive, amusante, sérieuse, traditionnelle?

   c) le genre : C'est une comédie de situation, un drame, un policier, un téléroman?

   d) comparaisons : Est-ce que cette série est meilleure que les autres du genre?

   e) les personnages : Est-ce que les personnages vous semblent réalistes? Y a-t-il des stéréotypes?

   Préparez vos commentaires et présentez votre critique à la classe.

2. Choisis un disque que tes copains de la Terre aiment. N'oublie pas que la musique sur ta planète est différente de leur musique. Écris une liste de trois commentaires positifs et trois commentaires négatifs. Compare ce que tu as écrit avec les commentaires de ton ou ta partenaire.

À la tâche

3. Utilise les commentaires pour écrire une critique du disque pour ton magazine. Échange ton brouillon avec celui de ton ou ta partenaire. Les éléments nécessaires y sont-ils présents? Est-ce qu'il y a des fautes de français? Fais les corrections et mets ta critique dans ton portfolio.

Vocabulaire utile :

une critique   un disque   une série télévisée

N'oublie pas ton vocabulaire personnel dans ton cahier.

La tâche finale

Maintenant, tu es prêt(e) à préparer ton magazine. Il porte sur la vie sur Terre du point de vue d'un extraterrestre.

Le magazine comprend :

- un article;

- une histoire en images;

- une critique.

As-tu corrigé tes brouillons?

As-tu choisi un nom pour ton magazine?

Si tu veux, tu peux ajouter d'autres éléments visuels à ton magazine.

Quand c'est terminé, remets ton magazine à ton ou ta professeur(e).

Les BD

Dans cette unité, tu vas...

Parler

- de tes bandes dessinées préférées et de leurs personnages;
- de ton samedi idéal.

Découvrir

- comment dessiner une bande dessinée;
- comment écrire le scénario d'une bande dessinée;
- comment décrire les personnages et ce qui se passe dans une bande dessinée.

Apprendre

- à bien utiliser un dictionnaire;
- à parler de l'avenir;
- à utiliser le pronom *en*.

La tâche finale

Tu vas créer une bande dessinée et la présenter à la classe.

Allons-y !

Dans cette unité, les cinq jeunes sont des personnages de trois bandes dessinées. Tu vas lire leurs aventures et composer ta propre BD!

À deux, jouez les rôles de Dominique et d'un(e) autre membre du groupe. Dominique lui décrit le chien de Tyler.

Lisons des bandes dessinées!

Avant de lire

■ Est-ce que tu lis régulièrement les bandes dessinées dans le journal? Quelles bandes dessinées aimes-tu? Est-ce que tu achètes des albums de bandes dessinées? Lesquels?

La cuisine de Nicole

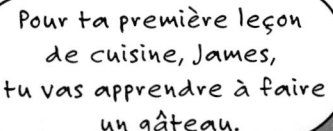

Pour ta première leçon de cuisine, James, tu vas apprendre à faire un gâteau.

Génial! J'aime ça, les gâteaux!

Dans notre gâteau nous allons utiliser de la farine, des œufs, du lait et du sucre. Est-ce que tu peux me donner le sucre, s'il te plaît?

Du sucre? Il n'y en a pas. Je vais lui donner du sel. Il est blanc comme le sucre.

La prochaine fois, tu me diras s'il n'y a pas de sucre!

La prochaine fois, j'achèterai un gâteau!

Tyler et son chien

Corrige les erreurs dans les phrases suivantes sur une feuille de papier.

1. Le chien veut utiliser l'ordinateur.

2. Tyler sort de la pièce un instant parce qu'il y a quelqu'un à la porte.

3. Le chien ajuste l'horloge à 4 h.

4. Tyler sait que le chien a changé l'heure de l'horloge.

La cuisine de Nicole

Réponds aux questions suivantes sur une feuille de papier.

1. Dans le cours de cuisine, qui est la professeure et qui est l'élève?

2. Qu'est-ce que James va apprendre à préparer?

3. Quand James ne trouve pas de sucre, qu'est-ce qu'il donne à Nicole?

4. En quoi est-ce que le sel ressemble au sucre?

La vie sociale

Cherche la deuxième partie de chaque phrase et récris la phrase au complet sur une feuille de papier.

1. James ne peut pas…	a) les filles ne veulent pas danser avec lui.
2. Melissa ne veut pas que James…	b) choisir qui il va inviter à la danse.
3. Dominique pense que James…	c) danse comme un éléphant.
4. James ne sait pas que…	d) l'invite à la danse.

As-tu observé?

Le futur simple

1. Lis les phrases suivantes.

   a) Tu **mangeras** à 6 h.

   b) Je n'**attendrai** pas.

   c) J'espère que James ne m'**invitera** pas à la danse.

   d) Toutes les filles t'**admireront** aussi.

2. Dans ces phrases, est-ce qu'on parle du présent, du passé ou de l'avenir?

3. En quoi est-ce que le futur simple est différent du futur proche?

> Former le futur simple, c'est simple comme bonjour!

Je n'	**attendr**	**ai**	pas.
Tu	**manger**	**as**	à 6 h.
James ne m'	**inviter**	**a**	pas à la danse.
Toutes les filles t'	**admirer**	**ont**	aussi.

4. La première partie du futur simple est l'infinitif du verbe. Quelle lettre à la fin de l'infinitif *attendre* est-ce qu'on laisse tomber? Où as-tu déjà vu la deuxième partie (la terminaison) du verbe au futur?

   Pour les formes de *nous* et *vous*, on emploie l'infinitif plus les terminaisons *ons* et *ez*.

   Exemple :   Nous manger**ons** un bon gâteau.

APPLICATION

Fais les phrases à l'oral.

Exemple : Tu (parler) à Nicole.

   Tu parleras à Nicole.

a) Ils (téléphoner) à Nicole.

b) Vous (écrire) à Nicole.

c) James (écrire) à Nicole.

As-tu remarqué?

James dit à Nicole : La prochaine fois, j'achèterai un gâteau.

Au futur simple, il y a toujours un accent grave sur la lettre **e** des verbes ach**e**ter et se l**e**ver.

Hum… quelle est la règle?

On emploie le futur simple pour parler des événements futurs qui ne vont pas avoir lieu immédiatement.

Pour former le futur simple, on ajoute les terminaisons à l'infinitif du verbe. Si l'infinitif se termine en *re*, on laisse tomber le *e*. Donc, on trouve toujours la lettre *r* devant la terminaison.

Les terminaisons			
(je)	… ai	(nous)	… ons
(tu)	… as	(vous)	… ez
(il/elle/on)	… a	(ils/elles)	… ont

Voici le futur simple du verbe *manger*.

Je manger**ai**   Nous manger**ons**
Tu manger**as**   Vous manger**ez**
Il, elle, on manger**a**   Ils, elles manger**ont**

Au futur simple, les verbes *dire*, *écrire*, *lire*, *mettre* et *prendre* ne sont pas irréguliers, mais il n'y a pas de *e* après le *r*.

Je prendr**ai**   Nous prendr**ons**
Tu prendr**as**   Vous prendr**ez**
Il, elle, on prendr**a**   Ils, elles prendr**ont**

Références : le futur simple, pp. 181–182.

Comment consulter ton dictionnaire bilingue

Les abréviations

adj. = adjectif

adv. = adverbe

conj. = conjonction

loc. = locution

n.m. = nom masculin

n.f. = nom féminin

prép. = préposition

pron. = pronom

v. = verbe

Le client au restaurant français a un problème qu'il veut expliquer au serveur. Malheureusement, quand il a consulté son dictionnaire français-anglais pour savoir comment dire *fly*, il a trouvé beaucoup de possibilités.

D'abord, quel genre de mot cherches-tu? Certaines définitions de *fly* sont accompagnées d'un petit *v*. Le *v* indique que c'est la définition d'un verbe. Un *n* représente un nom. Le dictionnaire donne une liste de ces abréviations. (Une abréviation est une forme très courte qui représente un mot.) Souvent, il y a beaucoup de définitions dans le dictionnaire. Patience! Regarde-les bien. Les abréviations peuvent t'aider à trouver la bonne définition.

APPLICATION

Maintenant, cherche comment exprimer le mot *fly* dans les situations suivantes. Écris les phrases sur une feuille de papier.

1. James! La _____ de ton pantalon est ouverte!

2. Ferme la fenêtre! Les _____ vont entrer dans la maison!

3. Les chiens courent. Les poissons nagent. Les oiseaux _____ .

1. À deux, discutez de vos projets pour demain. La première personne commence par «Je me lèverai à 7 heures». Le ou la partenaire répond par «Je ne me lèverai pas à sept heures. Je me lèverai à 8 heures». Employez les verbes *se laver*, *se raser* ou *se maquiller*, *s'habiller* et *se coucher*. Variez les terminaisons des phrases, en utilisant *vous* et *nous*. Par exemple, dites où vous vous laverez, comment vous vous habillerez.

2. En petits groupes, préparez cinq ou six phrases pour décrire un personnage dans une bande dessinée ou dans un dessin animé. Le premier groupe se met devant la classe et les autres élèves posent des questions pour deviner l'identité du personnage. Seules les réponses de *oui* et *non* sont possibles. Le groupe qui devine juste remplacera le premier groupe.

   Exemple : Votre groupe décrit Charlie Brown :

   Il est petit. Il n'a pas de cheveux. Il a un chien. Il aime jouer au baseball. Son équipe est mauvaise. Il a une sœur.

   Un autre groupe demande :
   Est-ce que le personnage est un garçon?

3. Écris un paragraphe pour décrire comment tu passeras ton prochain samedi. On a déjà fait la première phrase pour toi. Utilise les verbes *manger*, *jouer*, *regarder* et deux autres de ton choix.

   Si tu veux, fais une illustration des scènes que tu décris ou trouve des photos qui représentent ton samedi idéal.

Je me lèverai à une heure.

4. Écoute la conversation et prends des notes sur une feuille de papier. Avec cette information, complète la bande dessinée dans ton cahier.

La cuisine de Nicole

À la tâche

5. Lis le premier épisode de la bande dessinée *Les puces*.

Voici la première, la quatrième et la dernière images de la BD. C'est à toi de créer dans ton cahier la deuxième et la troisième images.

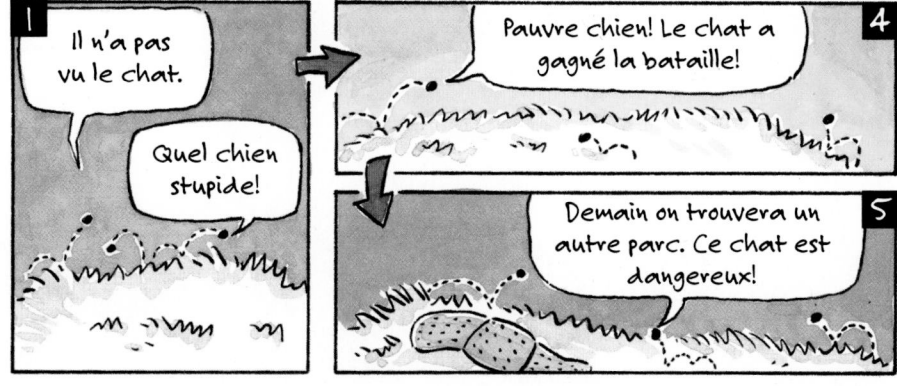

Vocabulaire utile :

chasser   un chou   couper   pleurer   un oignon   la soupe

N'oublie pas ton vocabulaire personnel dans ton cahier.

Tu veux en savoir plus?
Consulte notre site Web à :
www.pearsoned.ca/school/fsl

Tintin

Tu as probablement déjà vu Tintin et son petit chien Milou à la télé. Aujourd'hui, on peut suivre leurs aventures en bandes dessinées dans presque tous les pays du monde.

Tintin est la création de Georges Rémi qui est né en Belgique en 1907. Très tôt dans sa carrière, Rémi a adopté le nom de Hergé (la prononciation française de ses initiales : *R* pour Rémi, *G* pour Georges). Il a été l'auteur d'autres bandes dessinées avant de créer *Tintin* en 1929. Au début, on a publié les BD seulement en noir et blanc, mais après la Seconde Guerre mondiale on a commencé à les publier en couleurs. En tout, Hergé a écrit 24 albums de *Tintin*. Un de ces albums s'est vendu à plus de 5 millions d'exemplaires!

En 1960, on a adapté ses dessins pour le cinéma avec de vrais acteurs. Depuis 1969, les aventures de Tintin ont été adaptées pour la télévision en dessins animés. Ces films ont eu un grand succès dans le monde entier. Plusieurs réalisateurs américains ont proposé à Hergé de tourner des films sur les aventures de Tintin, mais il n'a pas accepté leurs propositions.

Hergé est mort à Bruxelles, en Belgique, en 1983.

Lisons des bandes dessinées!

Avant de lire

- Quels sont les personnages de bandes dessinées et de dessins animés que tu aimes?

- Fais une description de ton personnage préféré.

TYLER ET SON CHIEN

Youppi! Il neige! Allons jouer dehors un peu!

Moi, je vais lancer les boules de neige et toi, tu les attraperas. Compris?

Toi, tu lanceras des boules de neige et moi, j'en attraperai une ou deux,... peut-être.

Quand est-ce que tu vas en attraper une?

Quand tu me diras pourquoi nous faisons ce jeu stupide!!!

Ce chien n'apprendra jamais!

Tyler ne comprendra jamais! Ce n'est pas des boules de neige que je veux! C'est des biscuits! J'en veux tout de suite!

Tyler et son chien

Complète les phrases avec le mot qui manque. Écris les mots sur une feuille de papier.

1. Tyler veut sortir jouer avec son chien parce qu'il   dehors.

2. Quand Tyler lancera la boule de neige, son chien l'   .

3. En tout, Tyler a lancé   boules de neige.

4. Le chien de Tyler préfère les   .

La cuisine de Nicole

Corrige les erreurs dans les phrases suivantes. Écris les phrases sur une feuille de papier.

1. Demain, c'est la fête de James.

2. Nicole lui préparera une tarte.

3. James a 15 ans demain.

4. Selon Nicole, c'était une bonne idée de mettre de la crème fouettée.

La vie sociale

Réponds aux questions suivantes sur une feuille de papier.

1. Qu'est-ce qui aura lieu la semaine prochaine?

2. Qu'est-ce que James va faire pour être prêt la semaine prochaine?

3. Qu'est-ce que Tyler pense de cette idée?

4. Qu'est-ce que James fera quand il rentrera chez lui?

As-tu observé?

Le pronom en

Lis les phrases suivantes.

Toi, tu lanceras **des boules de neige**.

Moi, j'**en** attraperai **une** ou **deux**.

Je mettrai **des bougies** sur son gâteau.

Il y **en** aura **14** pour son âge.

À quoi est-ce que le pronom *en* se réfère dans chaque cas? Quel mot est-ce qu'on retrouve dans la deuxième phrase de chaque exemple?

Hum… quelle est la règle?

On utilise le pronom *en* pour remplacer un mot (avec *de*) qui exprime l'idée d'un nombre, d'une quantité.

Exemple :

Combien **de livres** as-tu lus? Moi, j'**en** ai lu *trois*. (Trois quoi? Trois livres.)

Références : le pronom en, p. 172.

APPLICATION

1. À deux, répondez oralement aux questions suivantes.

   Exemple : Combien de têtes as-tu? → J'**en** ai une.

   a) Combien de bras as-tu?

   b) Combien de doigts as-tu?

   c) Combien d'oreilles as-tu?

   d) Combien de nez as-tu?

   Pour répondre à la forme négative :

   Combien de piscines as-tu? → Je n'**en** ai pas.

2. Lis ces phrases et puis trouve les mots dans la première phrase qui sont remplacés par *en* dans la deuxième phrase.

   C'est des biscuits que je veux. → J'**en** veux tout de suite!

Hum... quelle est la règle?

Quand tu veux remplacer un mot ou un groupe de mots, on utilise un pronom. Quand *de, du, de la, de l'* ou *des* précède le mot ou le groupe de mots, on utilise le pronom *en*. On utilise *en* pour se référer à une partie de l'objet. Si tu te réfères à tout l'objet, il faut utiliser *le, la, l'* ou *les*.

Exemple :

Vous avez mangé du gâteau?

Oui, nous en avons mangé. (Mais nous n'avons pas mangé tout le gâteau!)

Vous avez mangé le gâteau?

Oui, nous l'avons mangé. (Il n'y a plus de gâteau maintenant!)

La place de en dans une phrase

Temps de verbe	Positif	Négatif
Présent	J'en mange.	Je n'en mange pas.
Futur simple	J'en mangerai.	Je n'en mangerai pas.
Passé composé	J'en ai mangé.	Je n'en ai pas mangé.
Verbe + infinitif	Je veux en manger.	Je ne veux pas en manger.

Références : le pronom **en**, p. 172.

APPLICATION

Tu es au restaurant et le serveur te demande ce que tu veux manger. Réponds oralement aux questions suivantes.

Exemple :

Le serveur te demande : Est-ce que vous prenez du café?

Tu lui réponds : Oui, j'**en** prends.

Non, je n'**en** prends pas.

a) du sel? **b)** de la soupe? **c)** de la salade?

d) du pain? **e)** de l'eau? **f)** des pâtisseries?

1. À deux, regardez de nouveau la bande dessinée *Tyler et son chien* à la page 151. Décrivez oralement ce qui se passe dans chaque image. Pour vous aider avec les activités qui suivent, écrivez votre description sur une feuille de papier.

Exemple : Tyler et son chien regardent la neige.

Tyler veut jouer dehors.

2. **a)** Tout le monde a besoin d'une feuille de papier et d'un crayon. En petits groupes, créez ou trouvez une bande dessinée à quatre images. Pour chaque image de la bande, écrivez une phrase descriptive.

b) Un membre du groupe lit la première phrase descriptive et les autres en dessinent l'action. Puis, il ou elle passe la BD à la personne à sa droite. Cette personne lit la deuxième phrase descriptive et les autres dessinent cette action.

c) Quand tout le monde aura lu une phrase, il y aura trois dessins pour chaque phrase. Choisissez les meilleurs dessins et collez les dessins sur une autre feuille de papier. Écrivez les phrases descriptives sous les dessins.

d) Chaque groupe présentera sa bande dessinée oralement à un autre groupe.

3. Regardez les deux dessins suivants, tirés de *Tyler et son chien*. À deux, trouvez les sept différences entre les deux dessins. Présentez-les oralement à la classe.

À la tâche

4. Dans ton cahier, tu trouveras trois nouveaux épisodes de *Tyler et son chien*, *La cuisine de Nicole* et *La vie sociale*. Chaque bande est complète, mais une image n'a pas de dialogue. Écris le texte qui manque à la bande dessinée.

Tu peux suivre cet exemple pour la tâche finale.

Vocabulaire utile :

s'asseoir   parler au téléphone   porter   le sol   un t-shirt

N'oublie pas ton vocabulaire personnel dans ton cahier.

Tu veux en savoir plus?
Consulte notre site Web à :
www.pearsoned.ca/school/fsl

Astérix

Astérix est probablement la bande dessinée la plus populaire du monde francophone. Ce petit homme est un membre de la tribu des Gaulois, qui sont les anciens habitants de la France.

En l'an 50 avant J.-C., la France est occupée par les armées de Rome. À l'extrême ouest du pays, il y a une région habitée par des Gaulois qui continuent à résister aux Romains. Astérix et son grand — et gros — ami Obélix ont beaucoup d'aventures dans leur guerre contre les Romains, mais aussi, ils voyagent partout dans le monde antique.

L'artiste René Goscinny a créé *Astérix* en 1959. Son ami Albert Uderzo a collaboré aux textes. Ils ont publié plus de 30 albums. On a traduit les aventures d'Astérix en plus de 25 langues.

La popularité d'*Astérix* n'est pas limitée aux bandes dessinées. On a tourné plusieurs films, pour la plupart des dessins animés. C'est en 1998 qu'on a adapté la BD pour le cinéma dans le film *Astérix et Obélix contre César* avec de vrais acteurs. Ce film a eu un grand succès. De plus, depuis plus de dix ans il existe en France un parc d'attractions basé sur les personnages d'*Astérix*.

Pour fêter le 40e anniversaire d'*Astérix* en 1999, la maison d'édition qui publie les albums a organisé une campagne. Il y a une édition spéciale d'*Astérix*. Il y a même un fromage qui contient des figurines de la bande dessinée dans son emballage! En plus, les restaurants *Quick* offrent des prix reliés au thème d'Asterix avec leurs repas.

Lisons des bandes dessinées!

Jeu questionnaire

- En groupes, choisissez une BD et écrivez tout ce que vous savez au sujet de votre BD. Écrivez cinq fausses phrases.

- Présentez vos phrases à un autre groupe qui va essayer de les corriger. Corrigez les phrases de l'autre groupe. Le groupe qui corrige le plus grand nombre de fautes gagne.

La cuisine de Nicole

Je ne sais pas pourquoi je garde le chat de ma voisine. Je suis allergique aux chats.

Mais moi, je suis une chatte, et je t'aime beaucoup.

Atchoum!

Zut! Je dois recommencer maintenant! Il ne reste rien dans le bol!

Ta voisine reviendra demain me chercher. Tu sais, les allergies aux chattes n'existent pas.

Es-tu folle? Je dois recommencer encore une fois!

Ne t'inquiète pas, je serai ta servante. Je t'aiderai à tout nettoyer.

Tu es une très bonne cuisinière! Je ne te quitterai jamais. Ensemble, nous ferons beaucoup de bons gâteaux!

Tyler et son chien

Complète les phrases suivantes avec le mot qui manque. Récris les phrases au complet sur une feuille de papier.

1. Le chien de Tyler est   aujourd'hui.

2. Tyler est certain que son chien veut   .

3. Selon son chien, ils joueront avec la balle   .

4. Quand ils rentrent à la maison, le chien veut   .

La cuisine de Nicole

Corrige les erreurs dans les phrases suivantes sur une feuille de papier.

1. Nicole garde le chien de sa voisine.

2. L'animal n'aime pas Nicole.

3. Selon l'animal, les allergies aux chattes sont graves.

4. L'animal pense que Nicole ne sait pas cuisiner.

La vie sociale

Complète les phrases suivantes avec le mot qui manque. Récris les phrases au complet sur une feuille de papier.

1. Ce n'est pas du   . C'est probablement du ketchup.

2. Ils ne lui   pas vraiment la main. C'est seulement un film!

3. Les acteurs ne sont pas vraiment morts. Melissa les a vus à la   .

4. Les filles ont peur d'une   .

As-tu observé?

Le futur simple : les verbes irréguliers

1. Lis les phrases suivantes.

   a) Tu adores aller au parc.

   On ira au parc demain.

   b) Tu veux courir.

   Je courrai demain.

   c) Tu as toujours de l'énergie.

   Nous aurons de l'énergie demain.

   d) Est-ce que la voisine est revenue?

   Non, elle reviendra demain.

   e) Est-ce que Nicole sera seule pour nettoyer?

   Non, je serai ta servante.

   f) Nicole fait de bons gâteaux.

   Nous ferons de bons gâteaux.

   g) Ils vont tous mourir.

   Non, James, ils ne mourront pas.

infinitif	futur simple
aller	j'irai
avoir	j'aurai
courir	je courrai
être	je serai
faire	je ferai
mourir	je mourrai
revenir	je reviendrai

2. Voici quelques verbes irréguliers au futur simple. C'est la première partie du verbe qui est irrégulière. Les verbes ont les mêmes terminaisons que les verbes réguliers au futur simple.

   Les autres verbes irréguliers sont : *devoir, envoyer, pouvoir, savoir, voir, vouloir.*

   Je reviendrai est le futur du verbe *revenir*. Quel est le futur de *venir*?

   Références : les verbes irréguliers au futur simple, pp. 181–182.

Mets les phrases suivantes au futur simple. Écris les phrases sur une feuille de papier.

Exemple : Je vais avoir une voiture de sport.

J'**aurai** une voiture de sport.

a) Mes parents vont aller en France.

b) Le chien de Tyler va courir dans le parc.

c) La secrétaire va être ici dans dix minutes.

d) Nous allons faire un gâteau au chocolat.

e) Je ne vais pas mourir de faim.

f) Vous allez revenir.

g) Elle va avoir peur.

h) Je vais être fatigué.

As-tu remarqué?

Lis les phrases suivantes.

Ce chien est fou!

La chatte est folle?

Voici un autre adjectif irrégulier. N'oublie pas de l'ajouter à la liste des adjectifs dans le vocabulaire personnel de la première unité de ton cahier.

	masculin	féminin
singulier	Il est fou.	Elle est folle.
pluriel	Ils sont fous.	Elles sont folles.

D'habitude, pour écrire une phrase à la forme négative, on met *ne* devant le verbe et *pas* après, mais il y a des situations spéciales où *pas* ne donne pas le sens qu'on veut. Regarde les exemples suivants.

a) James, si tu continues comme ça, nous **ne** sortirons **plus** avec toi.

Cette phrase indique que sortir avec James, c'est fini. Cette action ne va pas être répétée.

b) Tu es une très bonne cuisinière, Nicole. Je **ne** te quitterai **jamais**.

Cette phrase indique que la chatte restera avec Nicole pour toujours. *Toujours* est le contraire de *jamais*.

c) Zut! Je dois recommencer maintenant! Il **ne** reste **rien** dans le bol!

Cette phrase indique que le bol est vide. *Rien* est le contraire de *quelque chose* ou de *tout*.

Rien!
Plus!
Jamais!

Quand tu emploies une de ces expressions, le mot *pas* n'est pas nécessaire.

Tu peux employer *jamais* ou *rien* seuls, en réponse à une question. S'il n'y a pas de verbe dans ta réponse, *ne* n'est pas nécessaire. Regarde les exemples suivants.

— Qu'est-ce que tu fais?
— **Rien.**

— Quand rangeras-tu ta chambre?
— **Jamais!**

APPLICATION

Réponds oralement aux questions suivantes. Utilise l'expression entre parenthèses dans ta réponse.

a) Qu'est-ce que tu lui diras? (ne… rien)

b) Quand porte-t-il sa cravate noire? (ne… jamais)

c) Est-ce qu'il suit des leçons de danse? (Non… ne… plus)

Comment peux-tu répondre aux questions *a* et *b* par un seul mot?

Activités orales et écrites

Les aventures de Tom-Tom

1. En classe, faites un remue-méninges sur des aventures que Tom-Tom peut avoir à l'âge de deux ans. Écrivez les idées qui vous intéressent.

Puis, en petits groupes, choisissez une des aventures discutées avec les autres élèves et créez un scénario. Décrivez les images et écrivez le dialogue, comme dans l'exemple suivant.

Exemple : Tom-Tom décide de manger dans le bol du chien.

Image 1 :   Tom-Tom regarde le chien manger.
Tom-Tom : Le chien aime son dîner!

Image 2 :   Le chien part. Tom-Tom regarde dans le bol.
Tom-Tom : C'est bon! Le chien ne mange pas de purée de bananes!

Image 3 :   Tom-Tom mange dans le bol du chien.
Tom-Tom : Je voudrais être un chien!

Image 4 :   La mère arrive.
Maman :   Tom-Tom! Ne mange pas ça! J'ai de bonnes purées pour toi!

À la tâche

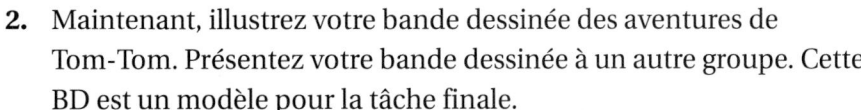

2. Maintenant, illustrez votre bande dessinée des aventures de Tom-Tom. Présentez votre bande dessinée à un autre groupe. Cette BD est un modèle pour la tâche finale.

Vocabulaire utile :

boire   un bol   manger   de la purée

N'oublie pas ton vocabulaire personnel dans ton cahier.

La tâche finale

Maintenant tu es prêt(e) à créer une BD.

- Pense à un thème que tu aimes.

- Crée des personnages originaux. Tu peux aussi choisir une des bandes de cette unité : *Tyler et son chien, La cuisine de Nicole, La vie sociale.*

- Écris un scénario (le dialogue).

- Fais les dessins. Ce n'est pas nécessaire de faire des dessins compliqués. C'est ton effort et tes idées qui comptent.

Avant de remettre la tâche finale à ton ou ta prof, montre-la à quelqu'un d'autre. Est-ce qu'il ou elle l'aime et la comprend? Est-ce qu'il y a des fautes de français qu'il faut corriger?

Maintenant, tu vas présenter ta BD à la classe. Identifie les personnages, décris-les brièvement et explique ce qui se passe dans la BD. Réponds aux questions de tes camarades de classe.

Références

1 · Les noms

Les noms sont des mots ou groupes de mots qui désignent une personne, un lieu ou une chose.

Les noms peuvent être masculins ou féminins (*le genre*), et singuliers ou pluriels (*le nombre*). Ils sont propres (écrits avec une lettre majuscule comme la *France, Madame Smythe, Michelle*), ou communs (écrits avec une lettre minuscule comme *une ville, un jeu, une fille*).

Les articles comme *le, la, un, une* aident à distinguer les noms entre masculin et féminin. Les articles *les* et *des* aident à distinguer le nombre.

masculin singulier	féminin singulier
un ordinateur	une page Web
un chien	une bande dessinée
le parc d'attractions	la famille

masculin pluriel	féminin pluriel
des ordinateurs	des pages Web
des chiens	des bandes dessinées
les parcs d'attractions	les familles

2 · Les pronoms

Les pronoms *remplacent* les noms. On utilise les pronoms pour éviter la répétition. Les pronoms s'accordent en genre (masculins et féminin) et en nombre (singulier et pluriel) avec le nom qu'ils remplacent.

Les pronoms sujets

Les pronoms sujets remplacent les noms qui sont des sujets dans une phrase.

Exemples :
Melissa est gentille. → *Elle* est gentille.
Les garçons vont à l'école. → *Ils* vont à l'école.

Les pronoms sujets :

singulier	pluriel
j' / je	nous
tu	vous
il, elle, on	ils, elles

Les pronoms d'objets

■ Quand il y a *un* verbe, le pronom d'objet se place *devant le verbe.*

■ Quand il y a *deux verbes dans la phrase*, le pronom se place *devant le verbe dont il est l'objet.*

Exemples :   Miriam peut acheter *la robe*. Miriam peut *l'*acheter.

Les amis veulent aller *au parc*. Les amis veulent *y* aller.

■ Quand la phrase est au négatif ***ne / n'*** se place devant le pronom et ***pas*** se place après le verbe (au présent, au futur simple) ou l'auxiliaire *avoir* ou *être* (au passé composé).

Exemples :   Je ne l'ai pas vu.
Il ne lui parlera pas.

I Directs

Les pronoms d'objets directs remplacent les noms qui sont **des objets directs** dans une phrase. L'objet direct répond aux questions *qui* (personne) ou *quoi* après le verbe dans une phrase.

Exemples :   Je regarde *les films*. → Je regarde quoi? → Les films.
Je *les* regarde.

Nous lavons *la voiture*. → Nous lavons quoi? → La voiture.
Nous *la* lavons.

Vous ne voyez pas *Monsieur Verville*. → Nous ne voyez pas qui? → Monsieur Verville.
Vous ne *le* voyez pas.

Les pronoms d'objets directs :

singulier	pluriel
le (masculin)	les
la (féminin)	
• l' (masculin/féminin)	

- Les pronoms *le* et *la* deviennent *l'* devant un verbe qui commence par une voyelle. Exemple : Les enfants adorent *le gâteau.* → Les enfants *l'*adorent.

II Indirects

Les pronoms d'objets indirects remplacent les noms qui sont **des objets indirects** dans une phase. L'objet indirect répond à la question *à qui* (personne) après le verbe dans une phrase.

Exemples : Tyler parle *à son père.* → Tyler parle à qui? → À son père
Tyler *lui* parle.

James écrit *aux filles.* → James écrit à qui? → Aux filles
James *leur* écrit.

singulier	pluriel
lui	leur

- **Lui** remplace **à + le nom d'une personne (masculin ou féminin).**

- **Leur** remplace **à + les noms de deux personnes ou plus.**

- Si la phrase est au négatif, on met **ne** devant **lui** ou **leur**, et on met **pas** après le verbe.

  Exemple : Je ne **leur** ai pas parlé.

- Beaucoup de verbes qui prennent **à** + le nom d'une personne sont associés avec la communication.

  Exemples : chanter, demander, dire, écrire, expliquer, lire, parler, répondre, téléphoner, etc.

Le pronom *y*

Le pronom *y* décrit un lieu et répond à la question *où* (lieu) après le verbe dans une phrase.

Y remplace une préposition de lieu et un nom.

Quelques prépositions de lieu :
à, chez, dans, derrière, devant, en, sous, sur

Exemples : Nous sommes allés *au cinéma*. → Nous sommes allés où? → Au cinéma.
Nous *y* sommes allés.

Mes parents aiment manger *au restaurant*. → Mes parents aiment manger où? → Au restaurant.
Mes parents aiment *y* manger.

Je ne vais pas *chez Lise* ce soir. → Je ne vais pas où? → Chez Lise.
Je n'*y* vais pas.

Le pronom *en*

Le pronom *en* a deux fonctions.

1. *En* remplace un mot quand l'idée finit par un nombre ou une quantité.

   Exemple : Combien *de livres* as-tu? → J'**en** ai **deux**. (Deux quoi? Deux livres.)

2. *En* remplace un groupe de mots introduits par **de, du, de la, de l', des**. Ça se réfère à une partie de l'objet.

   Exemple : Vous voulez *de la tarte*? → Vous voulez de quoi? → De la tarte.
   Vous *en* voulez?

III Relatifs

Qui et que

Les pronoms relatifs *qui* et *que* sont utilisés pour relier deux phrases.

Qui joue toujours le rôle d'un **sujet**. *Qui* est toujours suivi d'un verbe.

Que est toujours **l'objet direct** du verbe. *Que* est toujours suivi d'un nom ou pronom personnel.

Exemples : qui
Melissa aime les robes. Les robes sont élégantes.
Melissa aime les robes **qui sont** élégantes.
 ↑   ↑
(sujet) (verbe)

Je veux acheter les disques compacts. Ces disques compacts ne sont pas chers.
Je veux acheter les disques compacts **qui** ne **sont** pas chers.
 ↑   ↑
(sujet)   (verbe)

que ou qu'*

Voilà les ingrédients. Je les utilise souvent.

Voilà les ingrédient **que j'**utilise souvent.

↑ ↑

(objet) (pronom personnel)

Ces frites sont délicieuses. Dominique mange les frites.

Les frites **qu'elle** mange sont délicieuses.

↑ ↑

(objet) (pronom personnel)

*On écrit *qu'* devant une voyelle.

IV Disjoints

Voici les pronoms sujets et les pronoms disjoints.

On emploie les pronoms disjoints :

	pronoms sujets	pronoms disjoints
singulier	je / j'	moi
	tu	toi
	il	lui
	elle	elle
	on	nous
pluriel	nous	nous
	vous	vous
	ils	eux
	elles	elles

pour accentuer

Exemples : James, lui, adore jouer de la guitare.

Toi, tu parles toujours avant de penser!

après c'est *

Exemples : C'est elle qui est responsable du journal.

C'est lui qui est allé dans le manège.

* On change **c'est** à **ce sont** devant *eux* ou *elles*.

Exemple : Ce sont eux qui ont peur des monstres.

avec un autre sujet de la phrase

Exemples :   Dominique et moi faisons du sport tous les jours
Elle et lui sortent ensemble depuis deux mois.

après les prépositions

Exemples :   Mes amis viennent souvent **chez** moi après l'école.
Est-ce tu y vas **avec** eux?

3 Les adjectifs (qualificatifs)

Les adjectifs qualificatifs sont des mots qui *décrivent* un nom. L'adjectif donne une information sur le nom qu'il décrit. L'adjectif s'accorde en *genre* (masculin ou féminin) et en *nombre* (singulier ou pluriel) avec le nom qu'il qualifie.

I Les adjectifs réguliers

Les accords des adjectifs réguliers

Exemple : grand

	masculin	féminin
singulier	grand	grand**e**
pluriel	grand**s**	grand**es**

II Les adjectifs irréguliers

- Les adjectifs qui terminent en -*e* sont pareils au masculin et au féminin.

  Exemples :   aimable   comique   drôle   honnête
  pratique   raisonnable   sensible   sévère
  sociable   triste

- Les adjectifs qui terminent en -*if* changent en -*ive* au féminin.

  Exemples :   act**if** → act**ive**   attent**if** → attent**ive**
  sport**if** → sport**ive**

- Les adjectifs qui terminent en -*eux* changent en -*euse*.

  Exemples :   ennuy**eux** → ennuy**euse**   heur**eux** → heur**euse**
  paress**eux** → paress**euse**   séri**eux** → séri**euse**

- Les adjectifs qui terminent en *-eur* changent en *-euse*.

  Exemples : charmeur → charmeuse   travailleur → travailleuse

- Les adjectifs qui terminent en *-ien* changent en *-ienne*.

  Exemples : canadien → canadienne   ontarien → ontarienne

- Les adjectifs qui terminent en *-eau* changent en *-elle*.

  Exemples : beau, bel* → belle   nouveau → nouvelle

- Les adjectifs qui terminent en *-anc* changent en *-anche*.

  Exemples : blanc → blanche   franc → franche

- D'autres adjectifs prennent des formes différentes au féminin.

  Exemples : doux → douce   favori → favorite
  fou → folle   gentil → gentille
  jaloux → jalouse   vieux, vieil* → vieille

  * devant une voyelle ou un *h* muet. Ex : un bel **h**omme, un vieil **a**mi, un nouvel **h**otel

III Le comparatif et le superlatif

Le comparatif

plus/moins + un adjectif/adverbe + **que** + nom

Exemples :   Nounoune est **plus** grosse **que** les autres gerbilles.
↑
adjectif

Pitou court **moins** vite **que** le chien de Tyler.
↑
adverbe

Le superlatif

le/la/l'/les plus/moins + adjectif

le plus/moins + adverbe (invariable)

Exemples :   Nounoune est **la plus** grosse.
↑
adjectif

Pitou court **le moins** vite.
↑
adverbe

IV Le comparatif et le superlatif de **bon**

- Le comparatif est utilisé pour exprimer une comparaison. L'adjectif *bon* devient *meilleur que*.

	masculin	féminin
singulier	bon → meilleur que	bonne → meilleure que
pluriel	bons → meilleurs que	bonnes → meilleures que

Exemples :   Le livre est **meilleur que** le film.
Melissa est **meilleure** en français **que** James.
Les cassettes sont **meileures que** les disques compacts.

- Le superlatif indique une qualité à son plus haut degré. L'adjectif *bon* devient *le meilleur*.

	masculin	féminin
singulier	bon → le meilleur	bonne → la meilleure
pluriel	bons → les meilleurs	bonnes → les meilleures

Exemples :   Dominique est **la meilleure** athlète.
Ces frites sont **les meilleures** du monde!
C'est **le meilleur** film de l'année.

4 Le comparatif et le superlatif de **bien**

Bien est un adverbe qui décrit un verbe. Tous adverbes sont invariables. Donc, le comparatif et le superlatif de *bien* sont invariables aussi.

adverbe	comparatif	superlatif
bien	mieux (que)	le mieux

Exemples :   Céline écrit **bien.**
Céline écrit **mieux que** Louise.
Céline écrit **le mieux.**

5 Les mots interrogatifs

On utilise des mots interrogatifs pour poser des questions et pour avoir des informations spécifiques.

Les différents mots interrogatifs et leurs fonctions

mots interrogatifs	information spécifique
Quand	le temps, l'heure, le jour, l'année, etc.
Où	un lieu, une place, une ville, un pays, etc
Qui	une ou plusieurs personne(s)
Pourquoi	la raison
Comment	une façon, une manière
Que/ qu'	quelque chose
Combien (de/d')	un nombre ou une quantité
Quel, quelle, quels, quelles*	une sélection, un choix

*c'est un adjectif

Exemples :

mots interrogatifs	information spécifique
Quand est-tu venu chez moi?	Je suis venu **hier soir**.
Où est-ce que tes parents iront en fin de semaine?	Ils iront **en Espagne**.
Qui est-ce que tes amis invitent pour la party?	Ils invitent **Dominique**.
Pourquoi est-ce que James ne vient pas avec nous?	**Parce qu'il est très malade**, le pauvre!
Comment ça va aujourd'hui?	Ça va **bien**!
Qu'est-ce que tu as fait hier soir?	**J'ai regardé une émission à la télé.**
Combien d'élèves est-ce qu'il y a dans cette salle.	Il y a **25 élèves** dans cette salle.
Quelle histoire est-ce que ta mère a aimé le plus?	Elle a aimé **l'histoire drôle** le plus.

6 Les conjonctions (et, mais, ou, donc)

Une conjonction relie deux mots ou groupes de mots.

- On utilise **et** quand on relie deux idées.

    Exemple :   Cette actrice danse **et** chante.

- On utilise **mais** quand la deuxième idée place une restriction sur la première idée.

    Exemple :   Je veux acheter ce disque compact, **mais** je n'ai pas d'argent.

- On utilise **ou** quand la deuxième idée propose un autre choix que la première idée.

    Exemple :   Est-ce que tu prends du café **ou** du thé le matin?

- On utilise **donc** quand on donne une conséquence de la première idée.

    Exemple :   James est en vacances, **donc** il n'est pas chez lui.

7 Les verbes

N.B. Réfère-toi aux tableaux de conjugaisons aux pages 183–188 du livre.

Les verbes réfléchis au présent

Certains verbes ont besoin d'un pronom réfléchi. Le pronom réfléchi indique que le sujet et l'objet de la phrase sont la même personne. Le pronom réfléchi est toujours placé devant le verbe.

singulier	pluriel
je **me** lave/je **m'**habille	nous **nous** amusons
tu **te** lèves/tu **t'**appelles…?	vous **vous** dépêchez
il **se** rase/il **s'**amuse	ils **se** peignent
elle **se** maquille/elle **s'**excuse	elles **s'**habillent

Voici quelques verbes qui sont souvent réfléchis : s'amuser, s'appeler, se brosser, se coiffer, se coucher, se dépêcher, s'habiller, se laver, se lever, se maquiller, se peigner, se raser.

- Quand on parle d'une partie du corps, il ne faut pas utiliser l'adjectif possessif (mon, tes, ses, etc.). On emploie *la, le, l', les.*

    Exemple :   Il se brosse **les** dents.

- Au négatif, on place **ne/n'** devant le pronom réfléchi et **pas** après le verbe.

    Exemples :   Je **ne** me rase **pas** tous les jours.
    Il **ne** s'habille **pas** rapidement le matin.

Le passé composé

Le passé composé est un temps de verbe qui exprime une action complétée au passé.

I Avec l'auxiliaire avoir

La plupart des verbes en français utilisent l'auxiliaire *avoir* pour former le passé composé.

Pour former le passé composé avec l'auxiliaire *avoir*, il faut faire les étapes suivantes.

1. le sujet; 2. le verbe **avoir** au présent; 3. le participe passé

- pour les verbes réguliers, la terminaison
des **verbes en *er*** comme **aimer** est ***é***   → **aimé**
des **verbes en *ir*** comme **finir** est ***i***   → **fini**
des **verbes en *re*** comme **rendre** est ***u***   → **rendu**

singulier	pluriel
j'ai mangé	nous avons participé
tu as fini	vous avez menti
il a terminé	ils ont rendu
elle a vendu	elles ont défendu
on a gagné	

- Il y a toujours des verbes irréguliers.

Voici une liste partielle de ces verbes avec leurs participes passés.

avoir → eu	boire → bu	devoir → dû
dire → dit	écrire → écrit	être → été
faire → fait	lire → lu	prendre → pris
recevoir → reçu	rire → ri	voir → vu

Voici les étapes à suivre pour former le passé composé avec l'auxiliaire *être*.

1. le sujet; 2. le verbe **être** au présent; 3. les participes passés des verbes qui prennent l'auxiliaire **être**.

Voici un aide-memoire : DR & MRS VANDERTRAMP

verbe	participe passé
Devenir	devenu*
Revenir	revenu*
Monter	monté
Rester	resté
Sortir	sorti
Venir	venu*
Aller	allé
Naître	né*
Descendre	descendu
Entrer	entré
Rentrer	rentré
Tomber	tombé
Retourner	retourné
Arriver	arrivé
Mourir	mort*
Partir	parti

*participes passés irréguliers

N.B. Les participes passés des verbes de la liste DR & MRS VANDERTRAMP s'accordent en genre et en nombre avec les sujets des phrases, comme les adjectifs.

Exemples :

Il est venu à midi. **David et Alex** sont allé**s** en ville.

Elle est tombé**e** de sa bicyclette. Elles sont arrivé**es** hier.

	singulier	pluriel
masculin	arrivé	arrivé**s**
féminin	arrivé**e**	arrivé**es**

Le négatif va entre les auxilliaires *être* et *avoir.*

Exemples :   Les amis **n'**ont **pas** assisté au concert.
sujet + **n'** + avoir + **pas** + participe passé

Vous **n'**êtes **pas** descendues en ville, Dominique et Melissa?
sujet + **ne** + être + **pas** + participe passé

Le futur simple

Le futur simple est un temps de verbe qui exprime une action au futur.

I Les verbes réguliers

Pour former le futur simple, on ajoute les terminaisons du futur à l'infinitif des verbes (le radical). Pour trouver le radical des verbes en *–re*, on laisse tomber le *e* final.

manger	partir	apprendre
je manger**ai**	je partir**ai**	j'apprendr**ai**
tu manger**as**	tu partir**as**	tu apprendr**as**
il manger**a**	il partir**a**	il apprendr**a**
elle manger**a**	elle partir**a**	elle apprendr**a**
on manger**a**	on partir**a**	on apprendr**a**
nous manger**ons**	nous partir**ons**	nous approndr**ons**
vous manger**ez**	vous partir**ez**	vous apprendr**ez**
ils manger**ont**	ils partir**ont**	ils apprendr**ont**
elles manger**ont**	elles partir**ont**	elles apprendr**ont**

II Les verbes irréguliers

Certains verbes sont irréguliers au futur simple. Les terminaisons ne changent pas. C'est le radical du verbe qui est irrégulier.

Voici une liste partielle des verbes irréguliers au futur simple.

infinitif	radical
aller	ir
avoir	aur
courir	courr
devoir	devr
être	ser
faire	fer
mourir	mourr
pouvoir	pourr
venir*	viendr
vouloir	voudr

*comme re**venir** et de**venir**

Exemples :

j'**ir**ai	nous **viendr**ons
tu **aur**as	vous **mourr**ez
il **courr**a	ils **reviendr**ont
elle **ser**a	elles **deviendr**ont
on **fer**a	

- Pour former le négatif du futur simple, on place **ne/ n'** devant le verbe et **pas** après le verbe.

   Exemples :   Je **ne** viendrai **pas** chez toi ce soir.
   On **n'**ira **pas** à l'école demain.

Tableaux de conjugaisons

–er, parler

présent	impératif	passé composé	futur
je parle	parle	j'ai parlé	je parlerai
tu parles		tu as parlé	tu parleras
il, elle, on parle	parlons	il, elle, on a parlé	il, elle, on parlera
nous parlons	parlez	nous avons parlé	nous parlerons
vous parlez		vous avez parlé	vous parlerez
ils, elles parlent		ils, elles ont parlé	ils, elles parleront

–ir, finir

présent	impératif	passé composé	futur
je finis	finis	j'ai fini	je finirai
tu finis		tu as fini	tu finiras
il, elle, on finit	finissons	il, elle, on a fini	il, elle, on finira
nous finissons	finissez	nous avons fini	nous finirons
vous finissez		vous avez fini	vous finirez
ils, elles finissent		ils, elles ont fini	ils, elles finiront

–re, vendre

présent	impératif	passé composé	futur
je vends	vends	j'ai vendu	je vendrai
tu vends		tu as vendu	tu vendras
il, elle, on vend	vendons	il, elle, on a vendu	il, elle, on vendra
nous vendons	vendez	nous avons vendu	nous vendrons
vous vendez		vous avez vendu	vous vendrez
ils, elles vendent		ils, elles ont vendu	ils, elles vendront

acheter

présent	impératif	passé composé	futur
j'achète	achète	j'ai acheté	j'achèterai
tu achètes		tu as acheté	tu achèteras
il, elle, on achète	achetons	il, elle, on a acheté	il, elle, on achètera
nous achetons	achetez	nous avons acheté	nous achèterons
vous achetez		vous avez acheté	vous achèterez
ils, elles achètent		ils, elles ont acheté	ils, elles achèteront

aller

présent	impératif	passé composé	futur
je vais	va	je suis allé(e)	j'irai
tu vas		tu es allé(e)	tu iras
il, elle, on va	allons	il, elle, on est allé(e)	il, elle, on ira
nous allons	allez	nous sommes allé(e)s	nous irons
vous allez		vous êtes allé(e)(s)	vous irez
ils, elles vont		ils, elles sont allé(e)s	ils, elles iront

avoir

présent	impératif	passé composé	futur
j'ai	aie	j'ai eu	j'aurai
tu as		tu as eu	tu auras
il, elle, on a	ayons	il, elle, on a eu	il, elle, on aura
nous avons	ayez	nous avons eu	nous aurons
vous avez		vous avez eu	vous aurez
ils, elles ont		ils, elles ont eu	ils, elles auront

connaître

présent	impératif	passé composé	futur
je connais	connais	j'ai connu	je connaîtrai
tu connais		tu as connu	tu connaîtras
il, elle, on connaît	connaissons	il, elle, on a connu	il, elle, on connaîtra
nous connaissons	connaissez	nous avons connu	nous connaîtrons
vous connaissez		vous avez connu	vous connaîtrez
ils, elles connaissent		ils, elles ont connu	ils, elles connaîtront

devoir

présent	impératif	passé composé	futur
je dois		j'ai dû	je devrai
tu dois		tu as dû	tu devras
il, elle, on doit		il, elle, on a dû	il, elle, on devra
nous devons		nous avons dû	nous devrons
vous devez		vous avez dû	vous devrez
ils, elles doivent		ils, elles ont dû	ils, elles devront

dire

présent	impératif	passé composé	futur
je dis	dis	j'ai dit	je dirai
tu dis		tu as dit	tu diras
il, elle, on dit	disons	il, elle, on a dit	il, elle, on dira
nous disons	dites	nous avons dit	nous dirons
vous dites		vous avez dit	vous direz
ils, elles disent		ils, elles ont dit	ils, elles diront

écrire

présent	impératif	passé composé	futur
j'écris	écris	j'ai écrit	j'écrirai
tu écris		tu as écrit	tu écriras
il, elle, on écrit	écrivons	il, elle, on a écrit	il, elle, on écrira
nous écrivons	écrivez	nous avons écrit	nous écrirons
vous écrivez		vous avez écrit	vous écrirez
ils, elles écrivent		ils, elles ont écrit	ils, elles écriront

être

présent	impératif	passé composé	futur
je suis	sois	j'ai été	je serai
tu es		tu as été	tu seras
il, elle, on est	soyons	il, elle, on a été	il, elle, on sera
nous sommes	soyez	nous avons été	nous serons
vous êtes		vous avez été	vous serez
ils, elles sont		ils, elles ont été	ils, elles seront

faire

présent	impératif	passé composé	futur
je fais	fais	j'ai fait	je ferai
tu fais		tu as fait	tu feras
il, elle, on fait	faisons	il, elle, on a fait	il, elle, on fera
nous faisons	faites	nous avons fait	nous ferons
vous faites		vous avez fait	vous ferez
ils, elles font		ils, elles ont fait	ils, elles feront

lire

présent	impératif	passé composé	futur
je lis	lis	j'ai lu	je lirai
tu lis		tu as lu	tu liras
il, elle, on lit	lisons	il, elle, on a lu	il, elle, on lira
nous lisons	lisez	nous avons lu	nous lirons
vous lisez		vous avez lu	vous lirez
ils, elles lisent		ils, elles ont lu	ils, elles liront

mettre

présent	impératif	passé composé	futur
je mets	mets	j'ai mis	je mettrai
tu mets		tu as mis	tu mettras
il, elle, on met	mettons	il, elle, on a mis	il, elle, on mettra
nous mettons	mettez	nous avons mis	nous mettrons
vous mettez		vous avez mis	vous mettrez
ils, elles mettent		ils, elles ont mis	ils, elles mettront

partir

présent	impératif	passé composé	futur
je pars	pars	je suis parti(e)	je partirai
tu pars		tu es parti(e)	tu partiras
il, elle, on part	partons	il, elle, on est parti(e)	il, elle, on partira
nous partons	partez	nous sommes parti(e)s	nous partirons
vous partez		vous êtes parti(e)(s)	vous partirez
ils, elles partent		ils, elles, sont parti(e)s	ils, elles partiront

pouvoir

présent	impératif	passé composé	futur
je peux		j'ai pu	je pourrai
tu peux		tu as pu	tu pourras
il, elle, on peut		il, elle, on a pu	il, elle, on pourra
nous pouvons		nous avons pu	nous pourrons
vous pouvez		vous avez pu	vous pourrez
ils, elles peuvent		ils, elles ont pu	ils, elles pourront

prendre

présent	impératif	passé composé	futur
je prends	prends	j'ai pris	je prendrai
tu prends		tu as pris	tu prendras
il, elle, on prend	prenons	il, elle, on a pris	il, elle, on prendra
nous prenons	prenez	nous avons pris	nous prendrons
vous prenez		vous avez pris	vous prendrez
ils, elles prennent		ils, elles ont pris	ils, elles prendront

sortir

présent	impératif	passé composé	futur
je sors	sors	je suis sorti(e)	je sortirai
tu sors		tu es sorti(e)	tu sortiras
il, elle, on sort	sortons	il, elle, on est sorti(e)	il, elle, on sortira
nous sortons	sortez	nous sommes sorti(e)s	nous sortirons
vous sortez		vous êtes sorti(e)(s)	vous sortirez
ils, elles sortent		ils, elles sont sorti(e)s	ils, elles sortiront

venir

présent	impératif	passé composé	futur
je viens	viens	je suis venu(e)	je viendrai
tu viens		tu es venu(e)	tu viendras
il, elle, on vient	venons	il, elle, on est venu(e)	il, elle, on viendra
nous venons	venez	nous sommes venu(e)s	nous viendrons
vous venez		vous êtes venu(e)(s)	vous viendrez
ils, elles viennent		ils, elles sont venu(e)s	ils, elles viendront

voir

présent	impératif	passé composé	futur
je vois	vois	j'ai vu	je verrai
tu vois		tu as vu	tu verras
il, elle, on voit	voyons	il, elle, on a vu	il, elle, on verra
nous voyons	voyez	nous avons vu	nous verrons
vous voyez		vous avez vu	vous verrez
ils, elles voient		ils, elles ont vu	ils, elles verront

vouloir

présent	impératif	passé composé	futur
je veux	veuille	j'ai voulu	je voudrai
tu veux		tu as voulu	tu voudras
il, elle, on veut	veuillons	il, elle, on a voulu	il, elle, on voudra
nous voulons	veuillez	nous avons voulu	nous voudrons
vous voulez		vous avez voulu	vous voudrez
ils, elles veulent		ils, elles ont voulu	ils, elles voudront

Lexique français-anglais

adj.	adjectif
adv.	adverbe
conj.	conjonction
loc.	locution
n.m.	nom masculin
n.f.	nom féminin
prép.	préposition
pron.	pronom
v.	verbe

A

(s)'abattre (sur) *v.* to beat down (on)

accessoire *n.m.* accessory

accueil *n.m.* welcome

achat *n.m.* purchase

acheter *v.* to buy

adieu *n.m.* farewell

adresse *n.f.* address; **adresser** *v.* to address **s'adresser à** to be intended, to be aimed at

aérien, aérienne *adj.* aerial

aéroport *n.m.* airport

affiche *n.f.* poster

afficher *v.* to post, stick up

âgé(e) *adj.* old

agir *v.* to act; **s'agir (de)** to be a matter (of)

aide *n.f.* help

aider *v.* to help

aimer *v.* to like, to love

aise *n.f.* ease

ajouter *v.* to add

ajuster *v.* to adjust

allemand *adj.* German

Allemand *n.m.* German

aller *v.* to go; **allons-y** let's go

alliance *n.f.* union

amasser *v.* to raise, to gather

ami *n.m.*, **amie** *n.f.* friend

amour *n.m.* love

amoureux, amoureuse *adj.* in love

amputer *v.* to amputate

amusant(e) *adj.* amusing

amuser v. to amuse, entertain; **s'amuser** *v.* to have fun, a good time

ancien, ancienne *adj.* former

anglais *n.m.* English

animal *n.m.* animal; **animal de compagnie** pet

animé(e) *adj.* animated

année *n.f.* grade, year

annonce *n.f.* announcement; **annonce classée** classified ad; advertisement; **petites annonces** classified ads

annoncer *v.* to advertise

annuaire *n.m.* directory

annuler *v.* to cancel

appareil-photo *n.m.* camera

appel *n.m.* appeal, call

appeler *v.* to call; **s'appeler** *v.* to be called/named

apporter *v.* to bring

apprécier *v.* to appreciate

apprendre *v.* learn

approprié(e) *adj.* appropriate

après *prép.* after

argent *n.m.* money

armée *n.f.* army

arrêter *v.* to stop

aspirateur *n.m.* vacuum cleaner

assemblée *n.f.* reunion, meeting

assez *adv.* enough, quite

associer *v.* to match, to associate

atteindre *v.* to reach

attendre *v.* to wait (for);

s'attendre à to expect

attirer *v.* to attract

attraper *v.* to catch

aujourd'hui *adv.* today

aussi *adv.* also, too

auteur *n.m.* author

auto *n.f.* car; **auto tamponneuse** bumper car

automne *n.m.* autumn, fall

autoriser *v.* to authorize, to give permission to

autour *adv.* around

autre(s) *pron. indéf.* other(s)

avancer *v.* to advance

avant *prép.* before

avec *prép.* with

avenir *n.m.* future

avion *n.m.* plane

avis *n.m.* opinion

avoir *v.* to have; **avoir besoin de** to need; **avoir dix ans** to be ten years old; **avoir du mal à** to have difficulty to; **avoir envie** to feel like; **avoir faim** to be hungry; **avoir froid** to be cold; **avoir l'air** to look like; **avoir lieu** to take place; **en avoir marre** to be fed up; **avoir peur** to be afraid

B

babillard *n.m.* bulletin board

balle *n.f.* ball

bande dessinée *n.f.* comic strip

bannière *n.f.* banner

bas, basse *adj.* low; **en bas** at the bottom, below

bataille *n.f.* battle, fight

bateau *n.m.* boat

bâtiment *n.m.* building

batteur *n.m.*, **batteuse** *n.f.* drummer

battre *v.* to beat

beau, belle *adj.* beautiful; **beau-frère** *n.m.* brother-in-law; **belle au bois dormant** *n.f.* sleeping beauty

beaucoup *adv.* much, many, a lot

bénévole *adj.* volunteer

beurre *n.m.* butter; **beurre d'arachide** peanut butter

bibliothèque *n.f.* library

bien *adv.* well, fine; **bien plus**, much more

bientôt *adv.* soon

bienvenue *n.f.* welcome

billet *n.m.* ticket

biscuit *n.m.* biscuit, cookie

blaguer *v.* to joke

blanc, blanche *adj.* white

blé *n.m.* wheat

bleu(e) *adj.* blue

boire *v.* to drink

boisson *n.f.* beverage

boîte *n.f.* box

bol *n.m.* bowl

bon, bonne *adj.* good

bonheur *n.m.* happiness

bonhomme *n.m.* chap, fellow

bouche *n.f.* mouth

bouger *v.* to move

bougie *n.f.* candle

boulanger *n.m.* baker

boule *n.f.* ball

bras *n.m.* arm

brièvement *adv.* briefly

brisure (de chocolat) *n.f.* (chocolate) chip

brouillon *n.m.* draft

brosser *v.* to brush; **se brosser les cheveux** to brush one's hair

bruyant(e) *adj.* noisy

but *n.m.* goal, purpose

C

ça *pron. dém.* that, this

cacher *v.* to hide

cadeau *n.m.* present, gift

café *n.m.* coffee

cahier *n.m.* notebook

camarade *n.m.f.* buddy; **camarade de classe** classmate

car *conj.* because, for

carotte *n.f.* carrot

carré *n.m.* square

carrière *n.f.* career

carrousel *n.m.* merry-go-round

casier *n.m.* locker

casse-croûte *n.m.* snack bar

casser *v.* to break; **se casser la jambe** to break one's leg

(à) cause de *loc.* because of, owing to

ce, cet(te) *adj. dém.* this

célèbre *adj.* famous

célébrité *n.f.* famous person, celebrity

cendrillon *n.f.* Cinderella

centre commercial *n.m.* shopping centre

certain(e)s *adj.* some

chair de poule *n.f.* goosebumps

chambre *n.f.* room

championnat *n.m.* championship

chance *n.f.* luck

chandail *n.m.* sweater

changement *n.m.* change

chanson *n.f.* song

chanter *v.* to sing

chanteur *n.m.*, **chanteuse** *n.f.* singer

chapeau *n.m.* hat

chaque *adj.* every, each

chasse *n.f.* hunt

chat *n.m.* **chatte** *n.f.* cat

châtain(e) *adj.* chestnut

château *n.m.* castle

(au) chaud *n.m.* in the warmth

chaussure *n.f.* shoe

(en) chef *n.m.* in-chief, head

chef d'orchestre *n.m.* conductor

cher, chère *adj.* expensive, dear

chercher *v.* to look for

cheveux *n.m.pl.* hair

chez *prép.* at; **chez moi** at my home

chien *n.m.* dog

choisir *v.* to choose

choix *n.m.* choice

chose *n.f.* thing

choquer *v.* to shock

chouette *adj.* nice, great

cinq *adj.* five

cinquante *adj.* fifty

circuler *v.* to circulate

citer *v.* to mention

clair(e) *adj.* clear

clairement *adv.* clearly

clé, clef *n.f.* key

clos *n.m.*(enclosed) field

cocher *v.* to check

co-équipier *n.m.* teammate

se coiffer *v.* to do one's hair

coiffeur *n.m.* hairstylist

coin *n.m.* corner

coller *v.* to glue

combattre *v.* to fight

combien *adv.* how much, how many

comique *adj.* comical

commande *n.f.* order

comme *conj.* as, like

commencement *n.m.* beginning

commencer *v.* to start, to begin

comment *adv.* how

commentaire *n.m.* comment

communiquer *v.* to communicate

compliquer *v.* to complicate

comprendre *v.* to understand

compter *v.* to count

conduire (une auto) *v.* to drive (a car)

congrès *n.m.* congress, convention

connaisance *n.f.* knowledge

connivence *n.f.* connivance, complicity

consacrer *v.* to devote

conseil *n.m.* council, advice

conseiller *n.m.* counsellor

consoler *v.* to soothe, to console

contacter *v.* to contact

contenir *v.* to contain, to include

content(e) *adj.* glad

contenu *n.m.* content

contre *prép.* against; **par contre** however

controversé(e) *adj.* controversial

copain *n.m.* buddy

copie *n.f.* copy

cornichon *n.m.* pickle

corps *n.m.* body

corriger *v.* to correct

côte *n.f.* coast

à côté *adv.* nearby

se coucher *v.* to go to bed

couleur *n.f.* colour

coup (de tonnerre) *n.m.* clap (of thunder)

coupe *n.f.* cup, glass with stem

couper *v.* to cut

courir *v.* to run

courrier électronique *n.m.* e-mail

course *n.f.* race

court(e) *adj.* short

coût *n.m.* cost

coûter *v.* to cost

couturier *n.m.*, **couturière** *n.f.* dressmaker, seamstress

couverture *n.f.* cover

couvrir *v.* to cover

cravate *n.f.* tie

crayon *n.m.* pencil

créer *v.* to create

crème *n.f.* cream

cri *n.m.* shout, scream

crier *v.* to shout, to scream

critère *n.m.* criterion

critique *adj.* critical

croire *v.* to believe

cuillerée *n.f.* spoonful

cuisine *n.f.* kitchen, cuisine

cuisiner *v.* to cook

cuisinière *n.f.* female cook

cuisson *n.f.* cooking

culinaire *adj.* culinary, cooking

culturel, culturelle *adj.* cultural

cyclisme *n.m.* cycling

D

d'accord *adj.* fine, okay

dame *n.f.* lady

dans *prép.* in

danser *v.* to dance

se débarrasser *v.* to get rid of

début *n.m.* beginning

débuter *v.* to begin, to start

décerner *v.* to give, to award

décider *v.* to decide

décorer *v.* to decorate

découper *v.* to cut

découverte *n.f.* discovery

découvrir *v.* to discover

décrire *v.* to describe

défi *n.m.* challenge

défilé *n.m.* parade; **défilé de mode** fashion show

dehors *adv.* outside

déjà *adv.* already

déjeuner *n.m.* breakfast, lunch (in France)

délicieux, délicieuse *adj.* delicious

demain *adv.* tomorrow

demander *v.* to ask

démarrer *v.* to start

demi *adv.* half

démontrer *v.* to demonstrate, to show

dent *n.f.* tooth

départ *n.m.* departure

se dépêcher *v.* to hurry

dépenser *v.* to spend

dépliant *n.m.* folder

depuis *prép.* since, ever since

dernier, dernière *adj.* last

derrière *prép.* behind

descendre *v.* to come down, to go down

désolé(e) *adj.* sorry

dessin *n.m.* drawing; **dessin animé** cartoon

dessiner *v.* to draw, to design

détruire *v.* to destroy

à deux *n.m.* in pairs, two by two

deuxième *adj.* second

devant *prép.* before, in front of

devenir *v.* to become

deviner *v.* to guess

devise *n.f.* motto

devoir *n.m.* homework; *v.* to have to, must

dictionnaire *n.m.* dictionary

difficile *adj.* difficult, hard

dire *v.* to say, to tell

diriger *v.* to conduct

discours *n.m.* speech

disparaître *v.* to disappear, to go missing

disponible *adj.* available

disque *n.m.* record

disquette *n.f.* floppy disk, diskette

diviser *v.* to divide

doigt *n.m.* finger

c'est dommage *n.m.* it's too bad

donnée *n.f.* (piece of) data

donner *v.* to give

dormir *v.* to sleep

dos *n.m.* back; **au dos** at the back

dossier *n.m.* file

doubler *v.* to dub

douzaine *n.f.* dozen

douze *adj.* twelve

dresser *v.* to draw (up)

droit *n.m.* right; **tout droit** straight ahead

droite *n.f.* right

durée *n.f.* duration

E

eau *n.f.* water

échange *n.m.* trade, exchange

échanger *v.* to exchange, to trade

école *n.f.* school

écouter *v.* to listen

écrire *v.* to write

écrivain *n.m.* writer

effet *n.m.* effect; **en effet** actually, in fact

élève *n.m., f.* student

éliminer *v.* to discard, to eliminate

embauche *n.f.* hiring, employment

embaucher *v.* to hire

s'embrasser *v.* to kiss

émission *n.f.* program

emploi *n.m.* position, job, use

employer *v.* to use

emprunter *v.* to borrow

enchanter *v.* to enchant

encore *adv.* again, still

s'endormir *v.* to fall asleep

endroit *n.m.* location, site

énerver *v.* to annoy

enfant *n.m., f.* child

engagement *n.m.* commitment

ennui *n.m.* trouble, problem

ennuyant(e) *adj.* boring

ennuyeux, ennuyeuse *adj.* boring

énoncé *n.m.* statement

enquête *n.f.* inquest

enregistrer *v.* to tape, to record

ensemble *adv.* together; **ensemble** *n.m.* whole, group, unity, set; **vue d'ensemble** *n.f.* comprehensive, general

ensuite *adv.* then, next

entendre *v.* to hear

en entier *n.m.* in its entirety; **entier, entière** *adj.* whole

entourer *v.* to surround

entraînement *n.m.* training

s'entraîner *v.* to train

entraîneur *n.* coach

entre *prép.* between

entrée *n.f.* entrance, admission

entreprendre *v.* to undertake

entreprise *n.f.* firm

entrer *v.* to enter, to come in

entre-temps *adv.* meanwhile, **dans l'entre-temps** in the meantime

entrevue *n.f.* interview

environ *adv.* about, thereabouts

envoyer *v.* to send

épaule *n.f.* shoulder

équipe *n.f.* team

équipement *n.m.* equipment

escalier *n.m.* staircase

espagnol *adj.* Spanish

Espagnol *n.m.* Spaniard

espoir *n.m.* hope

esprit *n.m.* spirit

essayer *v.* to try

établir *v.* to establish

étape *n.f.* step

été *n.m.* summer

étonnement *n.m.* astonishment

étonner *v.* to astonish

étranger *n.m.* foreigner; **étranger, étrangère** *adj.* foreign

être *v.* to be; **être né** to be born

étude *n.f.* study

étudiant *n.m.* student

étudier *v.* to study

événement *n.m.* event

éviter *v.* to avoid

examen *n.m.* examination

à l'exception *n.f.* except

exemplaire *n.m.* copy

explication *n.f.* explanation

expliquer *v.* to explain

exprimer *v.* to express

extraterrestre *n.m., f.* extraterrestrial

F

fâché(e) *adj.* angry

se fâcher *v.* to get angry, to lose one's temper

facile *adj.* easy

façon *n.f.* way

facture *n.f.* bill, invoice

faim *n.f.* hunger, **avoir faim** to be hungry

faire *v.* to do, to make, to prepare; **faire attention à** to pay attention to; **faire froid** to be cold; **faire honneur** to honour; **faire mal à** to hurt, to harm; **faire peur** to scare

fait *n.m.* fact

familial(e) *adj.* family

familier, familière *adj.* familiar

famille *n.f.* family

fameux, fameuse *adj.* famous

fantaisie *n.f.* fantasy

farine *n.f.* flour

fatigué(e) *adj.* tired

fatiguer *v.* to tire; **se fatiguer** to get tired

faute *n.f.* mistake

fauteuil *n.m.* armchair

faux, fausse *adj.* false

femme *n.f.* woman

fenêtre *n.f.* window

fermer *v.* to close

fêter *v.* to celebrate

feuille *n.f.* sheet

figurer *v.* to represent, to be represented

fille *n.f.* girl

fin *n.f.* end

foire *n.f.* fair

fois *n.f.* time; **une fois**, once

fondre *v.* to melt

fonds *n.m.p.* funds

formel, formelle *adj.* formal

formule *n.f.* formula

fort(e) *adj.* strong, loud

fou, folle *adj.* crazy

fouetté(e) *adj.* whipped

fouetter *v.* to whip

fourrure *n.f.* fur

fracas *n.m.* crash

frais *n.m.p.* expenses, charges

fraise *n.f.* strawberry

français *adj.* French

Français *n.m.* French person

frapper *v.* to knock

fréquenter *v.* to visit

frère *n.m.* brother

frites *n.f.p.* fries

fromage *n.m.* cheese

G

gaffe *n.f.* blunder

gagner *v.* to win, to earn

galerie *n.f.* collection

garçon *n.m.* boy

garder *v.* to keep

gardien *n.m.* guardian, guard; **gardien de but** *n.m.* goalie

gars *n.m.* guy

gâteau *n.m.* cake

gauche *n.f.* left

gaulois *n.m.* Gaul (ancient France)

génial(e) *adj.* fantastic

genou *n.m.* knee

genre *n.m.* type, sort, kind

gens *n.m.p.* people

gentil, gentille *adj.* nice

gérant *n.m.* manager

gerbille *n.m.* gerbil

glace *n.f.* ice

glacial(e) *adj.* icy, freezing

goût *n.m.* taste

grâce à *loc.* thanks to

grand(e) *adj.* tall, large, big; **grande dame** great lady

gras, grasse *adj.* fat; **caractère gras** bold character

grave *adj.* serious

gravité *n.f.* gravity

grille *n.f.* grid

gris(e) *adj.* grey

gros, grosse *adj.* big

guerre *n.f.* war

H

s'habiller *v.* to get dressed

habitant *n.m.* inhabitant

habiter *v.* to live

d'habitude *loc.* usually, as a rule

hanté(e) *adj.* haunted

haut(e) *adj.* high

heure *n.f.* hour; **une heure** one o'clock

heureusement *adv.* fortunately

heureux, heureuse *adj.* happy

hier *adv.* yesterday

histoire *n.f.* story

historique *adj.* historical

hiver *n.m.* winter

homme *n.m.* man

honnête *adj.* honest

horloge *n.f.* clock

horreur *n.f.* horror

huile *n.f.* oil

huitième *adj.* eighth

humain *n.m.* human being; **humain(e)** *adj.* human

I

ici *adv.* here

idée *n.f.* idea

île *n.f.* island

impliquer *v.* to involve

inclure *v.* to include

incroyable *adj.* incredible

indice *n.m.* clue

indien, indienne *adj.* Indian

indiquer *v.* to indicate

informatique *n.f.* computer science

s'informer *v.* to inquire, to find out

s'inquiéter *v.* to worry

inscrire *v.* to inscribe, to write

instant *n.m.* moment, instant

intéressant(e) *adj.* interesting

intrigue *n.f.* plot

inventeur *n.m.*, **inventrice** *n.f.* inventor

irrégulier, irrégulière *adj.* irregular

J

jaloux, jalouse *adj.* jealous

jamais *adv.* never

jambe *n.f.* leg

japonais(e) *adj.* Japanese

jardin *n.m.* garden; **jardin d'enfants** *n.m.* kindergarden

jeu *n.m.* game; **jeu de société** *n.m.* board game

jeune *n.m.* young person, youth

joindre *v.* to join, to put together

joli(e) *adj.* pretty

jouer *v.* to play

joueur *n.m.* player

jour *n.m.* day

journal *n.m.* newspaper

journée *n.f.* day

juge *n.m.* judge

jupe *n.f.* skirt

juste *adj.* fair

L

lac *n.m.* lake

laisser *v.* to let, to leave

lait *n.m.* milk

lancer *v.* to throw, to launch

langue *n.f.* language

laver *v.* to wash; **se laver** *v.* to wash oneself

leçon *n.f.* lesson

lecteur *n.m.* **lectrice** *n.f.* reader

lecture *n.f.* reading

légende *n.f.* caption

légume *n.m.* vegetable

lequel, laquelle, lesquel(le)s *pron.* which, who

lettre *n.f.* letter

se lever *v.* to get up, to rise

liberté *n.f.* freedom

librairie *n.f.* bookstore

lien *n.m.* link

lieu *n.m.* location, place; **au lieu de** instead of; **avoir lieu** *loc.* to take place

en ligne *n.f.* on line

ligue *n.f.* league

lire *v.* to read

livre *n.m.* book

logique *adj.* logical

loin *adv.* far, a long way

louer *v.* to rent

lutte *n.f.* wrestling

lycée *n.m.* high school

M

magasin *n.m.* store

magasiner *v.* to shop

main *n.f.* hand

maintenant *adv.* now

mais *conj.* but

maison *n.f.* house

maîtresse *n.f.* mistress

mal *adv.* badly, not properly

malade *adj.* sick; **rendre malade,** to make sick

malheureusement *adv.* unfortunately

malheureux, malheureuse *adj.* unhappy

manchette *n.f.* headline

manège *n.m.* carnaval ride

manger *v.* to eat

mannequin *n.m.* model

manque *n.m.* lack

manquer *v.* to be missing

manteau *n.m.* coat

maquette *n.f.* model

maquillage *n.m.* make-up

se maquiller *v.* to put on one's make-up

maquilleur *n.m.* **maquilleuse** *n.f.* make-up artist

marche *n.f.* walk

marché *n.m.* market

marcher *v.* to walk

mari *n.m.* husband

match *n.m.* game

maternelle *n.f.* pre-school

matière *n.f.* subject

matin *n.m.* morning

mauvais(e) *adj.* bad

médaille *n.f.* medal

médiatique *adj.* media

meilleur(e) *adj.* best, better

mélange *n.m.* mixture

mélanger *v.* to mix

mélangeur *n.m.* mixer

même *adj.* same, identical

mémoriser *v.* to memorize

menaçant(e) *adj.* threatening

menacer *v.* to threaten

mère *n.f.* mother

mesure *n.f.* measure

météo *n.f.* weather report

mets *n.m.* dish

mettre *v.* to put; **se mettre** *v.* to put oneself

midi *n.m.* noon

milieu *n.m.* middle; **au milieu** among

minable *adj.* shabby, pathetic

mode *n.f.* fashion

modèle *n.m.* model

moi *pron. pers.* myself, me

moins (de) *adv.* less (than); **au moins** *loc.* at least

mois *n.m.* month

moitié *n.f.* half

monde *n.m.* world; **tout le monde** everybody

mondial(e) *adj.* of the world

monstre *n.m.* monster

montagnes russes *n.f.p.* roller-coaster

monter *v.* to climb up, to go up, to assemble, to put on,

montrer *v.* to show

se moquer de *v.* to make fun of, to laugh at

morceau *n.m.* piece

mort(e) *adj.* dead

mot *n.m.* word

moulin *n.m.* mill

mourir *v.* to die

moyen, moyenne *adj.* middle

N

nager *v.* to swim

nain *n.m.* dwarf

naissance *n.f.* birth

naître *v.* to be born

natation *n.f.* swimming

neige *n.f.* snow

neiger *v.* to snow

nettoyer *v.* to clean

neuf *adj.* nine

nez *n.m.* nose

noir(e) *adj.* black

noisette *n.f.* hazel(nut)

noix de coco *n.f.* coconut

nom *n.m.* noun

nombre *n.m.* number

nommer *v.* to name

note *n.f.* mark

nourriture *n.f.* food

nous *pron. pers.* we, us

nouveau, nouvelle *adj.* new

de nouveau *loc.* again

nouvelles *n.f.pl.* news

nouveauté *n.f.* novelty

nuit *n.f.* night

numéro *n.m.* number

O

obligatoire *adj.* mandatory

obtenir *v.* to obtain

occupé(e) *adj.* busy

oeil *n.m.* eye

oeuf *n.m.* egg

offre *n.f.* offer

offrir *v.* to offer

oreille *n.f.* ear

oiseau *n.m.* bird

opération *n.f.* operation, surgery

or *n.m.* gold

ordinateur *n.m.* computer

ordre *n.m.* order

oreille *n.f.* ear

orientation *n.f.* guidance

os *n.m.* bone

ou *conj.* or

où *pron.* where

oublier *v.* to forget

ouragan *n.m.* hurricane

ouvert(e) *adj.* open

ouvrir *v.* to open

P

pain *n.m.* bread

pantalon *n.m.* trousers, pants

papier *n.m.* paper

par *prép.* by

parascolaire *adj.* extracurricular

parc *n.m.* park

parce que *conj.* because

paresseux, paresseuse *adj.* lazy

parfait(e) *adj.* perfect

parfois *adv.* sometimes, occasionnally

parler *v.* to talk, to speak; **parler mal de** to speak ill of

parmi *prép.* among(st)

parole *n.f.* word

partager *v.* to share

partenaire *n.m.,f.* partner

partie *n.f.* part

à temps partiel part time

partir *v.* to leave; **à partir de** *v.* starting

partout *adv.* everywhere

passager *n.m.* passenger

passé(e) *adj.* last, past

passer *v.* to go, to pass; **passer du temps** to spend time; **se passer** to happen

pâte *n.f.* pasta

patin *n.m.* skate

patinage *n.m.* skating

patiner *v.* to skate

patinoire *n.f.* skating rink

patrouille *n.f.* patrol

pauvre *adj.* poor

payer *v.* to pay

pays *n.m.* country

peaufiner *v.* to polish up

se peigner *v.* to comb one's hair

pendant *prép.* during

penser *v.* to think

pépite *n.f.* nugget

perdre *v.* to lose; **perdre connaissance** to faint

persan(e) *adj.* Persian

personnage *n.m.* character

personne *pron.* no one, nobody

personnel, personelle *adj.* personal

un peu *adv.* a little, not much

père *n.m.* father

petit(e) *adj.* small, short

peur *n.f.* fear; **avoir peur (de)** to be afraid (of)

peut-être *adv.* perhaps, may be

photo *n.f.* picture

phrase *n.f.* sentence

physiquement *adv.* physically

pièce *n.f.* room

pied *n.m.* foot; **à pied** on foot

pire *adj.* worse

pirouette *n.f.* pirouette, about turn

piscine *n.f.* pool

placer *v.* to place, to put

plaire *v.* to please; **s'il te plaît, s'il vous plaît** please

plan *n.m.* plan, map, shot; **gros plan** close-up; **plan moyen** head & shoulders shot; **plan américain** waiste up shot; **plan demi-ensemble** long shot; **plan d'ensemble** establishing shot; **plan de très grand ensemble** aerial view

planifier *v.* to plan

plat *n.m.* dish

pleuvoir *v.* to rain; **il pleut** it's raining

plombier *n.m.* plumber

la plupart de *n.f.* most

pluriel, plurielle *adj.* plural

plus *adv.* more; **de plus** what's more; **le/la plus** the most

poche *n.f.* pocket

poisson *n.m.* fish

poli(e) *adj.* polite

policier, policière *adj.* police

pomme *n.f.* apple; **pomme de terre** potato

populaire *adj.* popular

porte *n.f.* door

porter *v.* to wear

portefeuille *n.m.* portfolio

portrait *n.m.* portrait, photograph

poser (des questions) *v.* to ask (questions)

poste *n.m.* station

poulet *n.m.* chicken

poumon *n.m.* lung

pour *prép.* for

pourcentage *n.m.* percentage

pourquoi *adv.* why

pouvoir *v.* to be able to, can

pratique *adj.* practical

pratiquer *v.* to practice

préoccuper *v.* to preoccupy

préféré(e) *adj.* favourite

premier, première *adj.* first

prendre *v.* to take

près *adv.* near(by), close(by)

presque *adv.* almost, nearly

prêt(e) *adj.* ready

prix *n.m.* prize

processus *n.m.* process

prochain(e) *adj.* next

proche *adj.* near, close

producteur *n.m.* **productrice** *n.f.* producer

produire *v.* to produce

produit *n.m.* product

profiter de *v.* to take advantage of

projet *n.m.* project

promenade *n.f.* walk

promener *v.* to walk; **se promener** to go for a walk

pronom *n.m.* pronoun

à propos *n.m.* regarding

propre *adj.* own, proper

propriétaire *n.m.,f.* owner

protéger *v.* to protect; **se protéger** to protect oneself

prouver *v.* to prove

publier *v.* to publish

puce *n.f.* flea

puis *adv.* then

Q

quand *conj.* when

quartier *n.m.* district, area

que *pron. rel.* that

quel, quelle *adj.* who, what

quelquefois *adv.* sometimes, at times

quelqu'un, *pron. indéf.* someone, somebody

quelques-un(e)s *pron.* some

qui *pron. rel.* who

quitter *v.* to quit, to leave

quotidien, quotidienne *adj.* daily

R

raconter *v.* to tell

raisin *n.m.* grape; **raisins secs** *n.m.pl.* raisins

raison *n.f.* reason

ranger *v.* to tidy up

rapidement *adv.* quickly

rappeler *v.* to remind; **se rappeler** to remember

se raser *v.* to shave

réalisateur *n.m.*, **réalisatrice** *n.f.* producer

recette *n.f.* recipe

recevoir *v.* to receive

recherche *n.f.* research

recommencer *v.* to begin, to start again, to resume afresh

rédacteur *n.m.* **rédactrice** *n.f.* editor, writer

redescendre *v.* to go, come back down

rédiger *v.* to write, to compose

réfléchi(e) *adj.* reflexive; **réfléchir** *v.* to reflect, to think

refléter *v.* to reflect

refroidir *v.* to cool

regarder *v.* to look (at), to watch

règle *n.f.* rule

regretter *v.* to regret

relier *v.* to connect, to link up

relire *v.* reread

remarquer *v.* to notice

remettre *v.* to put back, to deliver, to hand over

remonter *v.* to go, come back up

remporter *v.* to win

remue-méninges *n.m.* brainstorming

rencontrer, *v.* to meet

rendez-vous *n.m.* appointment

rendre *v.* to make

rentrer *v.* to come/go back in

réparation *n.f.* repair

réparer *v.* to repair

repas *n.m.* meal

répéter *v.* to repeat

répliquer *v.* to respond

répondeur *n.m.* answering machine

répondre *v.* to answer

réponse *n.f.* answer

représentant *n.m.* representative

requin *n.m.* shark

résoudre *v.* to solve, resolve

responsable *adj.* responsible

ressembler *v.* to look like

ressortir *v.* to go out again, to leave again

rester *v.* to stay, to remain

résultat *n.m.* result

résumer *v.* to summarize

en retard *n.m.* late

retourner *v.* to return, to go back

retraite *n.f.* retirement

retrouver *v.* to find again

revaloriser *v.* to revalue, to promote again

rêve *n.m.* dream

se réveiller *v.* to wake up

revenir *v.* to come back

rêver *v.* to dream

réviser *v.* to review

revoir *v.* to see again; **au revoir** *loc.* good-bye

rien *pron. indéf.* nothing

rire *v.* to laugh; *n.m.* laugh

robe *n.f.* dress

rôle *n.m.* part, role

grande roue *n.f.* ferris wheel

rubrique *n.f.* column

rue *n.f.* street

rythmé(e) *adj.* rhythmical

S

saisir *v.* to catch

salle *n.f.* room; **salle de bain** bathroom

samedi *n.m.* Saturday

sang *n.m.* blood

sans *prép.* without

sauf *prép.* except

sauvage *adj.* wild

sauver *v.* to save

savoir *v.* to know

scénariste *n.m.,f.* scriptwriter

scolaire *adj.* school

séance *n.f.* session

sel *n.m.* salt

selon *prép.* according to

semaine *n.f.* week

semblable *adj.* similar

sembler *v.* to seem

semoule *n.f.* semolina

sens *n.m.* meaning

se sentir *v.* to feel

série *n.f.* series

servante *n.f.* maid

serveur *n.m.* waiter

servir *v.* to serve; **se servir de** *v.* to use

seul(e) *adj.* one, alone

seulement *adv.* only

simple *adj.* simple

simple comme bonjour *loc.* easy as pie

singulier, singulière *adj.* singular

soeur *n.f.* sister

premiers soins *n.m.p.* first aid

soir *n.m.* night, evening

sommaire *n.m.* summary

en somme *loc.* all in all

sondage *n.m.* survey, poll

sonner *v.* to ring

sonore *adj.* sound

sorte *n.f.* type, kind

sortir *v.* to go out, to get out

souhaiter *v.* to wish

soulier *n.m.* shoe

souligner *v.* to underline

souper *n.m.* supper

sourire *v.* to smile; *n.m.* smile

souris *n.f.* mouse

sous *prép.* under, beneath; **sous-sol** *n.m.* basement

soutien *n.m.* support

souvent *adv.* often

spécialité *n.f.* specialty

stade *n.m.* stadium

sucre *n.m.* sugar

suggérer *v.* to suggest

suisse *n.m.* Swiss; *adj.* swiss

suite à *loc.* further(to)

suivre *v.* to follow

sujet *n.m.* subject; **au sujet de** *loc.* about

suivant(e) *adj.* following

sujet *n.m.* subject

supprimer *v.* to delete, to remove

sur *prép.* on, upon

surtout *adv.,* especially, above all

surveiller *v.* to watch, to supervise

survie *n.f.* to survival

survivre *v.* to survive

T

tableau *n.m.* board, (art) painting

tâche *n.f.* task

taille *n.f.* height, size

tas *n.m.* pile, heap

tasse *n.f.* cup

téléviseur *n.m.* t.v. set

tellement *adv.* so, so much

témoin *n.m.* witness

tempête *n.f.* storm

temps *n.m.* time, weather

se terminer *v.* to end

terrain *n.m.* gound, terrain

terre *n.f.* ground; **par terre** on the ground; **terre à terre** *loc.* down-to-earth, matter-of-fact

tête *n.f.* head; **en tête** at the top, header

tirer *v.* to draw

titre *n.m.* title

toi *pron. pers.*; **toi-même** yourself

tomber *v.* to fall

tôt *adv.* early

touche *n.f.* touch.

toucher *v.* to touch

toujours *adv.* always, still

tour *n.m.* trick, turn; **jouer un tour** *loc.* to play a trick

se tourner *v.* to turn; **tourner (un film)** *loc.* shoot/to make (a movie)

tout, tous *adj.* all *pron.* all; **tout à coup** *adv.* suddenly; **tout à fait** *adv.* very, quite; **tout de suite** immediately, right away; **tout le monde** everybody; **tout le temps** all the time

tranquille *adj.* quiet

traduire *v.* to translate

traiter *v.* to treat

tranche *n.f.* slice

travail *n.m.* work

travailler *v.* to work

travailleur *n.m.,* **travailleuse** *n.f.* worker; *adj.* hard working

à travers *n.m.* across, through

très *adv.* very, awfully

trésor *n.m.* treasure

tribu *n.f.* tribe

triomphant(e) *adj.* triumphant

triste *adj.* sad

trois *adj.* three

trop *adv.* too, too much

trouver *v.* to find; **trouver que** to think that; **se trouver** to be, to find oneself

tuer *v.* to kill

typique *adj.* typical

U

unité *n.f.* unit

usage *n.m.* use

utiliser *v.* to use

V

vache *n.f.* cow

veau *n.m.* calf

vedette *n.f.* star

vendeur *n.m.* **vendeuse** *n.f.* sales clerk

vendre *v.* to sell

vendredi *n.m.* Friday

venir *v.* to come; **venir de** to have just

vente *n.* sale

vers *prép.* toward

vêtement *n.m.* clothing

vide *adj.* empty

vidéoclip *n.m.* music video

vie *n.f.* life

vieil(le), vieux *adj.* old

ville *n.f.* city; **hôtel de ville** city hall

visage *n.m.* face

visiteur *n.m.,* **visiteuse** *n.f.* visitor

vite *adj.* fast, quickly

vivre *v.* to live

voici *prép.* here is, this is, here are

voir *v.* to see

voisin *n.m.* **voisine** *n.f.* neighbour

voiture *n.f.* car

voix *n.f.* voice; **à haute voix** aloud

voler *v.* to steal, to fly

voleur *n.m.* thief

vouloir *v.* to want; **vouloir dire** to mean, to signify

voyage *n.m.* trip

voyager *v.* to travel

voyelle *n.f.* vowel

vrai(e) *adj.* true

vraiment *adv.* really, truly

vue *n.f.* view

Lexique anglais-français

adj.	adjectif
adv.	adverbe
conj.	conjonction
loc.	locution
n.m.	nom masculin
n.f.	nom féminin
prép.	préposition
pron.	pronom
v.	verbe

A

about *adv.* environ, au sujet de, à peu près **about-turn** *prep.* pirouette (*n.f.*) volte-face (*n.m.*)

above all *adv.* surtout

according to *adv.* selon, suivant

across *prep.* à travers

act *v.* agir

actually *adv.* en fait, à vrai dire

ad *n.* annonce (*n.f.*) **classified ad** *n.* annonce classée (*n.f.*), petites annonces (*n.f. pl.*)

add *v.* ajouter

admission *n.* entrée (*n.f.*)

advance *v.* avancer

advertise *v.* annoncer

advertisement *n.* annonce publicitaire (*n.f.*)

advice *n.* conseil (*n.m.*)

aerial *adj.* aérien, aérienne

after *prep.* après

again *adv.* encore, de nouveau

against *prep.* contre

agree *v.* être d'accord

aim *v.* s'adresser

airport *n.* aéroport (*n.m.*)

all *adj.* tout(e), tous, toutes; **all in all** (*loc.*) en somme

almost *adv.* presque

alone *adj.* seul(e)

aloud *adv.* à haute voix

already *adv.* déjà

also *adv.* aussi, également

always *adv.* toujours

among(st) *prep.* au milieu, parmi, entre

amusing *adj.* amusant(e)

angry *adj.* fâché(e)

animated *adj.* animé(e)

announcement *n.* annonce (*n.f.*)

annoy *v.* énerver

answer *n.* réponse (*n.f.*); *v.* répondre; **answering machine** répondeur (*n.m.*)

appeal *n.* appel (*n.m.*)

apple *n.* pomme (*n.f.*)

appointment *n* rendez-vous (*n.m.*)

appreciate *v.* apprécier

appropriate *adj.* approprié(e)

area *n.* quartier (*n.m.*)

arm *n.* bras (*n.m.*)

armchair *n.* fauteuil (*n.m.*)

army *n.* armée (*n.f.*)

around *prep.* autour

as *conj.* comme

ask *v.* demander, poser (des questions)

assemble *v.* monter, assembler

astonish *v.* étonner

astonishment *n.* étonnement (*n.m.*)

at *prep.* chez, à

attract *v.* attirer

autumn *n.* automne (*n.m.*)

available *adj.* disponible

avoid *v.* éviter

awfully *adv.* terriblement, très

B

back *n.* dos (*n.m*); **at the back** au dos

bad *adj.* mauvais(e); **it's too bad** c'est dommage

badly *adv.* mal

baker *n.* boulanger (*n.m.*)

ball *n.* boule (*n.f.*), balle (*n.f.*)

banner *n.* bannière (*n.f.*)

basement *n.* sous-sol (*n.m.*)

bathroom *n.* salle de bains (*n.f.*)

battle *n.* bataille (*n.f.*)

be *v.* être; **to be able to** pouvoir; **to be afraid** avoir peur; **to be born** naître; **to be cold** avoir froid; **to be ten (years old)** avoir dix ans

beat *v.* battre; **to beat down (on)** *v.* s'abattre (sur)

beautiful *adj.* beau, belle

because *conj.* car, parce que; **because of** *prep.* à cause de

become *v.* devenir

before *prep.* devant, avant

begin *v.* commencer; **to begin again** recommencer

beginning *n.* commencement (*n.m.*)

behind *prep.* derrière

believe *v.* croire

below *prep.* sous, au-dessous de

beneath *prep.* sous

best *adj.* le meilleur, la meilleure; *adv.* le mieux

better *adj.* meilleur(e); *adv.* mieux

between *prep.* entre

beverage *n.* boisson (*n.f.*)

big *adj.* gros, grosse, grand(e)

bill *n.* facture (*n.f.*)

bird *n.* oiseau (*n.m.*)

birth *n.* naissance (*n.f.*)

black *adj.* noir(e)

blood *n.* sang (*n.m.*)

blue *adj.* bleu(e)

board *n.* babillard (*n.m.*), tableau (*n.m.*)

boat *n.* bateau (*n.m.*)

body *n.* corps (*n.m.*)

bone *n.* os (*n.m.*)

book *n.* livre (*n.m.*)

bookstore *n.* librairie (*n.f.*)

boring *adj.*
ennuyant(e),ennuyeux,
ennuyeuse

borrow *v.* emprunter

bottom *n.* bas (*n.m.*)

bowl *n.* bol (*n.m.*)

box *n.* boîte (*n.f.*)

brainstorming *n.* remue-
méninges (*n.m.*)

bread *n.* pain (*n.m.*)

break *v.* (se) casser; **to break
one's leg** se casser la jambe

breakfast *n.* déjeuner (*n.m.*)

briefly *adv.* brièvement

brother *n.* frère (*n.m.*); **brother-
in-law** *n.* beau-frère (*n.m.*)

brush *v.* (se) brosser; **to brush
one's teeth** se brosser les
dents

buddy *n.* camarade (*n.m.*),
copain (*n.m.*)

building *n.* bâtiment (*n.m.*)

busy *adj.* occupé(e)

but *conj.* mais

butter *n.* beurre (*n.m.*)

buy *v.* acheter

by *prep.* par, près de

C

cake *n.* gâteau (*n.m.*)

call *n.* appel (*n.m.*); *v.* appeler; **to
be called** *v.* s'appeler

camera *n.* appareil-photo (*n.m.*)

cancel *v.* annuler

candle *n.* bougie (*n.f.*)

caption *n.* légende (*n.f.*)

car *n.* voiture (*n.f.*), auto (*n.f.*);
bumper car *n.* auto
tamponneuse

career *n.* carrière (*n.f.*)

cartoon *n.* dessin animé (*n.m.*)

castle *n.* château (*n.m.*)

cat *n.* chat (*n.m.*), chatte (*n.f.*)

catch *v.* attraper, saisir

celebrate *v.* fêter, célébrer

celebrity *n.* célébrité (*n.f.*)

challenge *n.* défi (*n.m.*)

championship *n.* championnat
(*n.m.*)

change *n.* changement (*n.m.*)

chap *n.* bonhomme (*n.m.*)

character *n.* caractère (*n.m.*)
personnage (*n.m.*); **bold
character** caractère gras (*n.m.*)

charges *n.* frais (*n.m.pl.*), coûts
(*n.m.pl.*)

check *v.* cocher

cheese *n.* fromage (*n.m.*)

chicken *n.* poulet (*n.m.*)

chief *n.* chef (*n.m*); **in chief** en
chef

child *n.* enfant (*n.m.,f.*)
chocolate *n.* chocolat (*n.m.*);
chocolate chip *n.* brisure de
chocolat (*n.f.*)

choice *n.* choix (*n.m.*)

choose *v.* choisir

Cinderella *n.* Cendrillon (*n.f.*)

circulate *v.* circuler

city *n.* ville (*n.f.*); **city hall** *n.*
hôtel de ville (*n.m.*)

clap of thunder *n.* coup de
tonnerre (*n.m.*)

classmate *n.* camarade de classe
(*n.m.,f.*)

clean *v.* nettoyer

clear *adj.* clair(e)

clearly *adv.* clairement

climb up *v.* monter

clock *n.* horloge (*n.f.*)

close by *adv.* (tout) près

close-up *n.* gros plan (*n.m.*)

close *adj.* proche; *v.* fermer

clothing *n.* vêtement (*n.m.*)

clue *n.* indice (*n.m.*)

coach *n.* entraîneur(*n.m.*),
entraîneuse (*n.f.*)

coast *n.* côte (*n.f.*)

coat *n.* manteau (*n.m.*)

coconut *n.* noix de coco (*n.m.*)

coffee *n.* café (*n.m.*)

collection *n.* galerie (*n.f.*)

color *n.* couleur (*n.f.*)

column *n.* rubrique (*n.f.*);
colonne (*n.f.*)

comb one's hair *v.* se peigner

come *v.* venir; **to come back**
revenir; **to come back down**
redescendre; **to come back in**
rentrer; **to come back up**
remonter; **to come down**
descendre; **to come in** entrer

comical *adj.* comique

comic strip *n.* bande dessinée
(*n.f.*)

comment *n.* commentaire (*n.m.*)

communicate *v.* communiquer

complicate *v.* compliquer

complicity *n.*complicité (*n.f.*),
connivence (*n.f.*)

compose *v.* rédiger

computer *n.* ordinateur(*n.m.*);
computer science *n.*
informatique (*n.f.*)

conduct *v.* diriger

conductor *n.* chef d'orchestre
(*n.m.*)

congress *n.* congrès (*n.m.*)

connect *v.* relier

connivance *n.* connivence (*n.f.*)

contain *v.* contenir

content *n.* contenu (*n.m.*)

controversial *adj.* controversé(e)

convention *n.* congrès

cook *n.* cuisinier (*n.m.*)
cuisinière (*n.f.*); *v.* cuisiner

cookie *n.* biscuit (*n.m.*)

cooking *n.* cuisson (*n.f.*); *adj.*
culinaire

cool *v.* refroidir

corner *n.* coin (*n.m.*)

correct *v.* corriger

cost *n.* coût (*n.m.*); *v.* coûter

council *n.* conseil (*n.m.*)

counsellor *n.* conseiller (*n.m.*),
conseillère (*n.f.*)

count *v.* compter

country *n.* pays (*n.m.*)

cover *n.* couverture (*n.f.*); *v.* couvrir

crash *n.* fracas (*n.m.*)

crazy *adj.* fou, folle

cream *n.* crème (*n.f.*)

create *v.* créer

criterion *n.* critère (*n.m.*)

critical *adj.* critique

culinary *adj.* culinaire

cultural *adj.* culturel, culturelle

cup *n.* coupe (*n.f.*), tasse (*n.f.*)

cut *v.* couper, découper

cycling *n.* cyclisme (*n.m.*)

D

daily *adj.* quotidien, quotidienne

dance *v.* danser

data *n.* donnée (*n.f.*)

day *n.* jour (*n.m.*), journée (*n.f.*)

dead *adj.* mort(e)

dear *adj.* cher, chère

decide *v.* décider

decorate *v.* décorer

delete *v.* supprimer

delicious *adj.* délicieux, délicieuse

deliver *v.* remettre

demonstrate *v.* démontrer

departure *n.* départ (*n.m.*)

describe *v.* décrire

design *v.* dessiner

destroy *v.* détruire

devote *v.* consacrer

dictionary *n.* dictionnaire (*n.m.*)

die *v.* mourir

difficult *adj.* difficile

directory *n.* annuaire (*n.m.*)

disappear *v.* disparaître

discard *v.* éliminer

discover *v.* découvrir

discovery *n.* découverte (*n.f.*)

dish *n.* plat (*n.m.*), mets (*n.m.*)

disk (floppy) *n.* disquette (*n.f.*)

diskette *n.* disquette (*n.f.*)

district *n.* quartier (*n.m.*)

divide *v.* diviser

do *v.* faire; **to do one's hair** se coiffer

dog *n.* chien (*n.m.*), chienne (*n.f.*)

door *n.* porte (*n.f.*)

dozen *n.* douzaine (*n.f.*)

draft (of work) *n.* brouillon (*n.m.*)

draw *v.* dessiner, tirer

drawing *n.* dessin (*n.m.*)

dream *n.* rêve (*n.m.*); *v.* rêver

dress *n.* robe (*n.f.*)

dub *v.* doubler

drink *v.* boire, *n.* boisson (*n.f.*)

drive *v.* conduire (une auto)

duration *n.* durée (*n.f.*)

during *prep.* pendant, durant

dwarf *n.* nain (*n.m.*)

E

each *adj.* chaque

ear *n.* oreille (*n.f.*)

early *adv.* tôt

earn *v.* gagner

earth *n.* terre (*n.f.*); **down to earth** *loc.* à terre

ease *n.* aise (*n.f.*)

easy *adj.* facile

editor *n.* rédacteur (*n.m.*), rédactrice (*n.f.*)

effect *n.* effet (*n.m.*)

egg *n.* oeuf (*n.m.*)

eighth *adj.* huitième

e-mail *n.* courrier électronique (*n.m.*), courriel (*n.m.*)

empty *adj.* vide

enchant *v.* enchanter

end *n.* fin (*n.f.*); *v.* se terminer

English *adj.* anglais(e)

enough *adv.* assez

enter *v.* entrer

entirety (in its) *loc.* en entier

entrance *n.* entrée (*n.f.*)

especially *adv.* surtout

establish *v.* établir

evening *n.* soir (*n.m.*); **Have a good evening!** (*loc.*) Bonne soirée!

event *n.* événement (*n.m.*)

every *adj.* chaque

everybody *pron.* tout le monde

everywhere *adv.* partout

examination *n.* examen (*n.m.*)

except *prep.* à l'exception, sauf, excepté

exchange *n.* échange (*n.m.*); *v.* échanger

expect *v.* s'attendre à

expenses *n.* frais (*n.m.pl.*)

expensive *adj.* cher, chère

explain *v.* expliquer

explanation *n.* explication (*n.f.*)

express *v.* exprimer

extracurricular *adj.* parascolaire

extraterrestrial *n.* extraterrestre (*n.f.,m*)

eye *n.* oeil (*n.m.*)

F

face *n.* visage (*n.m.*)

fact *n.* fait (*n.m.*); **in fact** en effet, en fait

faint *v.* perdre connaissance

fair *n.* foire (*n.f.*); *adj.* juste

fall *n.* automne (*n.m.*); *v.* tomber; **to fall asleep** s'endormir

false *adj.* faux, fausse

familiar *adj.* familier, familière

family *n.* famille (*n.f.*); *adj.* familial(e)

famous *adj.* célèbre, fameux, fameuse; **famous person** célébrité (*n.f.*)

fantastic *adj.* génial(e)

far *adj.* loin

farewell *n.* adieu

fashion *n.* mode (*n.f.*); **fashion show** défilé de mode (*n.m.*)

fast *adj.* vite; *adv.* vite

fat *adj.* gras, grasse

father *n.* père (*n.m.*)

favourite *adj.* favori, favorite, préféré(e)

fear *n.* peur (*n.f.*)

fed up (to be) *loc.* en avoir marre,

en avoir assez; **I'm fed up!** J'en ai assez!

feel *v.* se sentir; **to feel like** avoir envie de

fellow *n.* bonhomme (*n.m.*)

ferris wheel *n.* grande roue (*n.f.*)

fifty *adj.* cinquante

fight *n.* bataille (*n.f.*); *v.* combattre, se battre

file *n.* dossier (*n.m.*)

find *v.* trouver; **to find again** retrouver; **to find oneself** se trouver

to find out s'informer

fine *adv.* bien, d'accord

finger *v.* doigt (*n.m.*)

firm *n.* entreprise (*n.f.*)

first *adj.* premier, première; **first aid** premiers soins (*n.m.pl.*)

fish *n.* poisson (*n.m.*)

flea *n.* puce (*n.f.*)

flour *n.* farine (*n.f.*)

fly *v.* voler

folder *n.* dépliant (*n.m.*)

follow *v.* suivre

following *adj.* suivant(e)

food *n.* nourriture (*n.f.*)

foot *n.* pied (*n.m.*)

for *prep.* pour; *conj.* car

foreigner *n.* étranger (*n.m.*), étrangère (*n.f.*); *adj.* étranger, étrangère

forget *v.* oublier

formal *adj.* formel, formelle

former *adj.* ancien, ancienne

formula *n.* formule (*n.f.*)

fortunately *adv.* heureusement

freedom *n.* liberté (*n.f.*)

freezing *adj.* glacial(e)

French *n.* Français; *adj.* français(e)

Friday *n.* vendredi (*n.m.*)

friend *n.* ami (*n.m.*), amie (*n.f.*)

fries *n.* frites (*n.f.pl.*)

from *prep.* de

funds *n.* fonds (*n.m.pl.*)

fur *n.* fourrure (*n.f.*)

further to *loc.* suite à

future *n.* avenir (*n.m.*)

G

game *n.* jeu (*n.m.*), match (*n.m.*)

garden *n.* jardin (*n.m.*)

gather *v.* amasser

Gaul *n.* Gaulois (*n.m.*); *adj.* gaulois

gerbil *n.* gerbille (*n.m.*)

German *n.* Allemand(e); *adj.* allemand(e)

get *v.* recevoir; **to get up** *v.* se lever; **to get angry** se fâcher; **to get dressed** s'habiller; **I don't get it** Je ne comprends pas; **to get out** sortir; **to get rid of** se débarrasser de

gift *n.* cadeau (*n.m.*)

girl *n.* fille (*n.f.*)

give *v.* donner, décerner; **to give permission** *v.* autoriser

glad *adj.* content(e)

glue *v.* coller

go *v.* aller; **to go down** descendre; **to go missing** disparaître; **to go out** sortir; **to go to bed** se coucher; **to go up** monter; **let's go** allons-y; **to go back down** redescendre; **to go back** retourner; **to go back in** rentrer; **to go back up** remonter; **to go out again** ressortir

goal *n.* but (*n.m.*)

goalie *n.* gardien de but (*n.m.*)

gold *n.* or (*n.m.*)

good *adj.* bon, bonne

goosebumps *n.* chair de poule (*n.f.*)

grade *n.* année (*n.m.*)

great *adj.* chouette

grey *adj.* gris(e)

grid *n.* grille (*n.f.*)

ground *n.* terrain (*n.m.*), terre (*n.f.*); **on the ground** par terre

guard *n.* gardien (*n.m.*), gardienne (*n.f.*)

guardian *n.* gardien (*n.m.*), gardienne (*n.f.*)

guess *v.* deviner

guidance *n.* orientation (*n.f.*)

guy *n.* gars (*n.m.*)

H

hair *n.* cheveux (*n.m.pl.*)

hairstylist *n.* coiffeur (*n.m.*), coiffeuse (*n.f.*)

half *n.* moitié (*n.f.*); *adj.* demi(e)

happen *v.* se passer; arriver (event)

happiness *n.* bonheur (*n.m.*)

happy *adj.* heureux, heureuse

hard *adj.* difficile

harm *v.* faire du mal à

hat *n.* chapeau (*n.m.*)

haunted *adj.* hanté(e)

have *v.* avoir; **to have to** devoir; **to have fun** s'amuser; **to have difficulty to** avoir du mal à

hand *n.* main (*n.f.*); **to hand over** *v.* remettre

hazelnut *n.* noisette (*n.f.*)

head *n.* chef (*n.m.*), tête (*n.f.*)

headline *n.* manchette (*n.f.*)

heap *n.* tas (*n.m.*)

hear *v.* entendre

height *n.* taille (*n.f.*)

help *n.* aide (*n.f.*); *v.* aider

here *adv.* ici; **here is**; **here are** voici

hide *v.* cacher

high *adj.* haut(e); **high school** école secondaire (*n.f.*) (Canada); lycée (*n.m.*) (France)

hiring *n.* embauche (*n.f.*)

historical *adj.* historique

home (at my) *prep.* chez moi

homework *n.* devoir (*n.m.*)

honest *adj.* honnête

honour *v.* faire honneur à

hope *n.* espoir (*n.m.*)

hour *n.* heure (*n.f.*)

house *n.* maison (*n.f.*); **at my house** chez moi

how *adv.* comment; **how much/many** combien (de)

however *adv.* par contre

human *adj.* humain(e); **human being** *n.* humain (*n.m.*)

hunger *n.* faim (*n.f.*) **to be hungry** avoir faim

hunt *n.* chasse (*n.f.*)

hurricane *n.* ouragan (*n.m.*)

hurry *v.* se dépêcher

hurt *v.* faire du mal à

husband *n.* mari (*n.m.*)

I

ice *n.* glace (*n.f.*)

icy *adj.* glacial(e)

immediately *adv.* tout de suite

in *prep.* dans

include *v.* inclure, contenir,

incredible *adj.* incroyable

Indian *adj.* indien, indienne; *n.* Indien (*n.m.*), Indienne (*n.f.*)

inhabitant *n.* habitant (*n.m.*)

inquest *n.* enquête (*n.f.*)

inquire *v.* s'informer

inscribe *v.* inscrire

instead *adv.* au lieu de

intended, to be intended for *v.* s'adresser à

interesting *adj.* intéressant(e)

interview *n.* entrevue (*n.f.*)

invoice *n.* facture (*n.f.*)

involve *v.* impliquer

island *n.* île (*n.f.*)

J

Japanese *adj.* japonais(e)

jealous *adj.* jaloux, jalouse

job *n.* emploi (*n.m.*)

join *v.* joindre

judge *n.* juge (*n.m.*)

K

keep *v.* garder

key *n.* clé (*n.f.*) clef (*n.m.*)

kill *v.* tuer

kind *n.* genre (*n.m.*), sorte (*n.f.*)

kindergarten *n.* jardin d'enfants (*n.m.*)

kiss *v.* embrasser, s'embrasser

kitchen *n.* cuisine (*n.f.*)

knee *n.* genou (*n.m.*)

knock frapper

know savoir, connaître

knowledge *n.* connaissance (*n.f.*)

L

lack *n.* manque (*n.m.*)

lady *n.* dame (*n.f.*); **great lady** grande dame (*n.f.*)

language *n.* langue (*n.f.*)

large *adj.* grand(e), gros, grosse

last *adj.* dernier, dernière, passé(e)

late *adj.* en retard

laugh *v.* rire; to laugh at *v.* se moquer de

launch lancer

lazy *adj.* paresseux, paresseuse

league *n.* ligue (*n.f.*)

learn *v.* apprendre

leave *n.* départ (*n.m.*); *v.* laisser, partir, quitter; **to leave again** ressortir

left *adj.* gauche

leg *n.* jambe (*n.f.*) less than *adv.* moins de, moins que

let *v.* laisser

library *n.* bibliothèque (*n.f.*)

life *n.* vie (*n.f.*)

like *v.* aimer; *conj.* comme

line; *n.* ligne (*n.f.*) **on line** *loc.* en ligne

link *n.* lien (*n.m.*); **to link up** *v.* relier

listen *v.* écouter

little *adj.* petit(e); *adv.* (un) peu

live *v.* habiter, vivre

location *n.* endroit (*n.m.*), lieu (*n.m.*)

logical *adj.* logique

look *v.* regarder; **to look at** regarder; **to look like** avoir l'air; **to look for** chercher; **to look alike** se ressembler

lose *v.* perdre; **to lose one's temper** se fâcher

loud *adj.* fort(e)

love *n.* amour (*n.m.*); *v.* aimer; **in love** amoureux, amoureuse

low *adj.* bas, basse

luck *n.* chance (*n.f.*)

lunch *n.* déjeuner (*n.m.*) (en France); dîner (*n.m.*) (au Canada)

lung *n.* poumon (*n.m.*)

M

maid *n.* servante (*n.f.*)

make *v.* faire; **to make a movie** tourner; **to make sick** rendre malade **to make fun of** se moquer de; **make-up** *n.* maquillage (*n.m.*); **make-up artist** *n.* maquilleur (*n.m.*); *n.* maquilleuse (*n.f.*)

man *n.* homme (*n.m.*)

manager *n.* gérant (*n.m.*), gérante (*n.f.*)

mandatory *adj.* obligatoire

market *n.* marché (*n.m.*)

match *v.* associer

matter *n.* sujet (*n.m.*); **to be a matter of** s'agir de

many *adv.* beaucoup

mark *n.* note (*n.f.*)

maybe *adv.* peut-être

me *pers. pron.* moi, me

meal *n.* repas (*n.m.*)

mean *v.* vouloir dire; *adj.* méchant(e)

meaning *n.* sens (*n.m.*)

meantime *n.* entre-temps (*n.m.*) **in the mean-time** *loc.* dans l'entre-temps

meanwhile *n.* entre-temps (*n.m.*)

measure *n.* mesure (*n.f.*)

medal *n.* médaille (*n.f.*)

media *adj.* médiatique; *n.* média

meet *v.* (se) rencontrer

meeting *n.* assemblée (*n.f.*)

melt *v.* fondre

memorize *v.* mémoriser

mention *v.* citer

merry-go-round *n.* carrousel (*n.m.*)

middle *n.* milieu (*n.m.*); *adj.* moyen, moyenne

mill *n.* moulin (*n.m.*)

milk *n.* lait (*n.m.*)

miss *v.* manquer; **to be missing** *loc.* manquer

mistake *n.* faute (*n.f.*)

mistress *n.* maîtresse (*n.f.*)

mix *v.* mélanger

mixture *n.* mélange (*n.m.,f.*)

model *n.* modèle (*n.m.*) mannequin (*n.m.,f.*), maquette (*n.f.*)

moment *n.* instant (*n.m.*)

money *n.* argent (*n.m.*)

month *n.* mois (*n.m.*)

more *adv.* plus

morning *n.* matin (*n.m.*)

most *adv.* la plupart; *adj.* le plus, la plus

motto *n.* devise (*n.f.*)

mouse *n.* souris (*n.f.*)

much *adv.* beaucoup; **much more** bien plus

mouth *n.* bouche (*n.f.*)

move *v.* bouger

myself *pers. pron.* moi, me *pron. refl.* me

N

name *v.* nommer; *n.* nom (*n.m.*); **to be named** *v.* s'appeler

near *adv.* proche

nearby *adv.* à côté, près

nearly *adv.* presque

need *v.* avoir besoin de

neighbour *n.* voisin (*n.m.*), voisine (*n.f.*)

never *adv.* jamais

new *adj.* nouveau, nouvelle

news *n.* nouvelles (*n.f.*)

newspaper *n.* journal (*n.m.*)

next a*dv.* ensuite; *adj.* prochain(e)

nice *adj.* chouette, gentil, gentille

night *n.* nuit (*n.f.*), soir (*n.m.*)

nobody *pron.* personne

noisy *adj.* bruyant(e)

noon *n.* midi (*n.m.*)

nose *n.* nez (*n.m.*)

notebook *n.* cahier (*n.m.*)

nothing *ind. pron.* rien

notice *v.* remarquer

noun *n.* nom (*n.m.*)

novelty *n.* nouveauté (*n.f.*)

now *adv.* maintenant; **right now** tout de suite

nugget *n.* pépite (*n.f.*)

number *n.* numéro (*n.m.*), nombre (*n.m.*)

O

obtain *v.* obtenir, recevoir

occasionnally *adv.* parfois

offer *n.* offre (*n.f.*); *v.* offrir

often *adv.* souvent

oil *n.* huile (*n.f.*)

old *adj.* âgé(e), vieux, vieil, vieille

on *prep.* sur

once *adv.* une fois

only *adv.* seulement

open *adj.* ouvert(e); *v.* ouvrir

opinion *n.* avis (*n.m.*); **in my opinion** à mon avis

or *conj.* ou

order *n.* ordre (*n.m.*), commande (*n.f.*)

other(s*) indef. pron.* autre(s)

outside *adv.* dehors

owing to *loc.* à cause de

owner *n.* propriétaire (*n.m.,f.*)

P

pair *n.* paire (*n.f.*); **in pairs** *loc.* à deux

pants *n.* pantalon (*n.m.*)

paper *n.* papier (*n.m.*)

parade *n.* défilé (*n.m.*)

part *n.* partie (*n.f.*), (**of a play**) *n.* rôle; **part time** *adj.* à temps partiel

past *adj.* passé(e); **past tense** *n.* passé composé (*n.m.*)

pasta *n.* pâte (*n.f.*)

pathetic *adj.* minable

patrol *n.* patrouille (*n.f.*)

pay *v.* payer; **to pay attention (to)** *loc.* faire attention (à)

peanut butter *n.* beurre d'arachide (*n.m.*)

pencil *n.* crayon (*n.m.*)

people *n.* gens (*n.m.pl.*)

percentage *n.* pourcentage (*n.m.*)

perfect *adj.* parfait(e)

perhaps *adv.* peut-être

permission *n.* permission (*n.f.*)

permit *v.* permettre

Persian *adj.* persan(e); *n.* Persan(e)

personal *adj.* personnel, personnelle

pet *n.* animal de compagnie (*n.m.*)

photograph *n.* photo (*n.f.*) portrait (*n.m.*)

physically *adv.* physiquement

pickle *n.* cornichon (*n.m.*)

picture *n.* photo (*n.f.*)

piece *n.* morceau (*n.m.*)

pile *n.* tas (*n.m.*)

place *n.* lieu; *v.* placer; **to take place** *loc.* avoir lieu

plan *v.* planifier

plane *n.* avion (*n.m.*)

play *v.* jouer

player *n.* joueur (*n.m*); joueuse (*n.f.*)

please *v.* plaire; **please** s'il te plaît, s'il vous plaît

plot *n.* intrigue (*n.f.*)

plural *adj.* pluriel, plurielle

plumber *n.* plombier (*n.m.*), plombière (*n.f.*)

pocket *n.* poche (*n.f.*)

police *n.* police (*n.f.*) *adj.* policier, policière

polish up peaufiner

polite *adj.* poli(e)

poll *n.* sondage (*n.m.*)

pool *n.* piscine (*n.f.*)

poor *adj.* pauvre

popular *adj.* populaire

portfolio *n.* portefeuille (*n.m.*)

position *n.* position (*n.f.*); emploi (*n.m.*); poste (*n.m.*)

poster *n.* affiche (*n.f.*)

post up *v.* afficher

potato *n.* pomme de terre (*n.f.*)

practical *adj.* pratique

practice *v.* pratiquer

preoccupy *v.* préoccuper

prepare *v.* préparer

present *n.* cadeau (*n.m.*); *v.* présenter

prêt(e) *adj.* ready

pretty *adj.* joli(e)

prize *n.* prix (*n.m.*)

problem *n.* problème (*n.m.*) ennui (*n.m.*)

process *n.* processus (*n.m.*)

produce *v.* produire

producer *n.* producteur (*n.m.*), productrice (*n.f.*), réalisateur (*n.m.*), réalisatrice (*n.f.*)

product *n.* produit (*n.m.*)

program *n.* émission (*n.f.*)

project *n.* projet (*n.m.*)

pronoun *n.* pronom (*n.m.*)

proper *adj.* juste, correcte

protect *v.* protéger; **to protect oneself** se protéger

prove *v.* prouver

publish *v.* publier

purchase *n.* achat (*n.m.*); *v.* acheter

purpose *n.* but (*n.m.*)

put *v.* mettre, placer; **to put back** remettre; **to put together** joindre, relier; **to put on** mettre; **to put on a show** monter un spectacle; **to put on one's make-up** se maquiller; **to put oneself** se mettre

Q

quickly *adv.* rapidement, vite

quiet *adj.* tranquille

quit *v.* quitter

quite *adv.* assez, tout à fait

R

race *n.* course (*n.f.*)

rain *v.* pleuvoir; *n.* pluie (*n.f.*)

raise *v.* amasser

reach *v.* atteindre

read *v.* lire

reader (person) *n.* lecteur (*n.m.*), lectrice (*n.f.*)

reading *n.* lecture (*n.f.*)

really *adv.* vraiment

reason *n.* raison (*n.f.*)

receive *v.* recevoir

recipe *n.* recette (*n.f.*)

record *n.* disque (*n.m.*); *v.* enregistrer

reflect *v.* réfléchir, réfléter

reflexive *adj.* réfléchi(e)

regret *v.* regretter

remain *v.* rester

remember *v.* se rappeler

remind *v.* rappeler

remove *v.* supprimer

rent *v.* louer

repair *n.* réparation (*n.f.*); *v.* réparer

repeat *v.* répéter

represent *v.* représenter; **to be represented** figurer; **representative** *n.* représentant (*n.m.*), représentante (*n.f.*)

reread *v.* relire

research *n.* recherche (*n.f.*)

respond *v.* répondre, répliquer

responsible *adj.* responsable

result *n.* résultat (*n.m.*)

retirement *n.* retraite (*n.f.*)

return *v.* retourner

reunion *n.* assemblée (*n.f.*)

review *v.* réviser

right *n.* droite (*n.f.*); *adj.* droit; **right away** *adv.* tout de suite

ring *v.* sonner

rise *v.* se lever

role *n.* rôle (*n.m.*)

roller-coaster *n.* montagnes russes (*n.f.pl.*)

room *n.* chambre (*n.f.*), pièce (*n.f.*), salle (*n.f.*)

rule *n.* règle (*n.f.*); **as a rule** d'habitude, généralement

run *v.* courir

S

sad *adj.* triste

sales clerk *n.* vendeur (*n.m.*); vendeuse (*n.f.*)

salt *n.* sel (*n.m.*)

same *adj.* même

Saturday *n.* samedi (*n.m.*)

sale *n.* vente (*n.f.*)

save *v.* sauver; (**on computer**) sauvegarder

say *v.* dire

scare *v.* faire peur

school *n.* école (*n.f.*); *adj.* scolaire

scream *v.* crier

scriptwriter *n.* scénariste (*n.m.,f.*)

second *adj.* deuxième

see *v.* voir; **to see again** *v.* revoir

seem *v.* sembler

sell *v.* vendre

semolina *n.* semoule (*n.f.*)

send *v.* envoyer

sentence *n.* phrase (*n.f.*)

series *n.* série (*n.f.*)

serious *adj.* sérieux, sérieuse, grave

session *n.* séance (*n.f.*)

serve *v.* servir

shabby *adj.* minable

share *v.* partager

shark *n.* requin (*n.m.*)

shave *v.* se raser

sheet *n.* feuille (*n.f.*)

shock *v.* choquer

shoe *n.* chaussure (*n.f.*), soulier (*n.m.*)

shoot *v.* tirer, **to shoot a film** tourner un film

shop *v.* magasiner; *n.* magasin (*n.m.*)

shopping centre *n.* centre commercial (*n.m.*)

short *adj.* court(e), petit(e)

shoulder *n.* épaule (*n.f.*)

shout *v.* crier; *n.* cri (*n.m.*)

show *v.* démontrer, montrer; *n.* spectacle (*n.m.*)

sick *adj.* malade

signify *v.* vouloir dire

similar *adj.* semblable

since *prep.* depuis; **ever since** depuis

sing *v.* chanter

singer *n.* chanteur (*n.m.*), chanteuse (*n.f.*)

sister *n.* sœur (*n.f.*)

site *n.* endroit (*n.m.*)

skate *n.* patin (*n.m.*); *v.* patiner **skating** *n.* patinage (*n.m.*); **skating rink** *n.* patinoire (*n.f.*)

skirt *n.* jupe (*n.f.*)

sleep *v.* dormir

Sleeping Beauty *n.* belle au bois dormant (*n.f.*)

slice *n.* tranche (*n.f.*)

small *adj.* petit(e)

smile *v.* sourire; *n.* sourire (*n.m.*)

snack bar *n.* casse-croûte (*n.m.*)

snow *n.* neige (*n.f.*); *v.* neiger

so *adv.* tellement; **so much** tellement; **so what!** et alors!

some *adj.* certain(e)

somebody *ind. pron.* quelqu'un

sometimes *adv.* parfois, quelquefois

song *n.* chanson (*n.f.*)

soon *adv.* bientôt

soothe *v.* consoler

sorry *adj.* désolé(e)

sort *n.* sorte (*n.f.*), genre (*n.m.*)

Spaniard *n.* Espagnol (*n.m.*), Espagnole (*n.f.*) **spanish** *adj.* espagnol(e)

speak *v.* parler; **to speak ill of** *loc.* parler mal de

speech *n.* discours (*n.m.*)

spend *v.* dépenser; **to spend time** *loc.* passer du temps

spirit *n.* esprit (*n.m.*); **spoonful** *n.* cuillerée (*n.f.*)

square *n.* carré (*n.m.*); *adj.* carré(e)

start *v.* commencer, débuter, démarrer

stadium *n.* stade (*n.m.*)

star *n.* vedette (*n.f.*)

staircase *n.* escalier (*n.m.*)

start *v.* commencer; **to start again** *v.* recommencer

statement *n.* énoncé (*n.m.*)

station *n.* poste (*n.m.*)

stay *v.* rester

steal *v.* voler

step *n.* étape (*n.f.*)

stick-figure drawing *n.* bonhomme (*n.m.*)

stick up *v.* afficher

still *adv.* encore, toujours

stop *v.* arrêter, s'arrêter

store *n.* magasin (*n.m.*)

storm *n.* tempête (*n.f.*)

story *n.* histoire (*n.f.*)

straight ahead *adv.* tout droit

strawberry *n.* fraise (*n.f.*)

street *n.* rue (*n.f.*)

strong *adj.* fort(e)

student *n.* élève (*n.m.,f.*), étudiant (*n.m.*), étudiante (*n.f.*)

study *n.* étude (*n.f.*); *v.* étudier

subject *n.* matière (*n.f.*), sujet (*n.m.*)

suddenly *adv.* tout à coup

sugar *n.* sucre (*n.m.*)

suggest *v.* suggérer

summarize *v.* résumer

summary *n.* sommaire (*n.m.*); résumé (*n.m.*)

summer *n.* été (*n.m.*); **in the summer** *loc.* en été

supervise *v.* surveiller

supper *n.* souper (*n.m.*), dîner (*n.m.*) (en France)

surgery *n.* opération (*n.f.*)

surround *v* entourer

survey *n.* sondage (*n.m.*)

survive *v.* survivre

sweater *n.* chandail (*n.m.*)

swim *v.* nager, faire de la natation

swimming *n.* natation (*n.f.*)

Swiss *n.* Suisse; *adj.* suisse

T

take *v.* prendre; **to take advantage of** *loc.* profiter de; **to take place** *loc.* avoir lieu

tall *adj.* grand(e)

tape *v.* enregistrer

task *n.* tâche (*n.f.*)

taste *n.* goût (*n.m.*)

team *n.* équipe (*n.f.*)

teammate *n.* co-équipier (*n.m.*); co-équipière (*n.f.*)

tell *v.* dire, raconter

that *conj.* que, qui; *pron. démon.* ce, cet, cette

then *adv.* ensuite, puis

thereabouts *adv.* environ, à peu près

thief *n.* voleur (*n.m.*), voleuse (*n.f.*)

thing *n.* chose (*n.f.*)

think *v.* penser, réfléchir; **to think that** trouver que

this *pron. démon.* ce, cet, cette, ça; **this is** *loc.* voici

those *pron. démon.* ces

threat *n.* menace (*n.f.*); **threatening** *adj.* menaçant(e)

threaten *v.* menacer

through *prep.* à travers

throw *v.* lancer

ticket *n.* billet (*n.m.*)

tidy up *v.* ranger

tie *n.* cravate (*n.f.*)

time *n.* fois (*n.f.*), temps (*n.m.*); **at times** quelquefois; **all the time** tout le temps

tire *v.* (se) fatiguer; **tired** *adj.* fatigué(e)

to *prep.* à

today *adv.* aujourd'hui

together *adv.* ensemble

tomorrow *adv.* demain

too *adv.* aussi, trop; **too much** trop

tooth *n.* dent (*n.f.*)

top (of a page) en-tête (*n.m.*); **at the top of** *loc.* en tête de

touch *n.* touche (*n.f.*); *v.* toucher

toward *adv.* vers

trade *n.* échange (*n.m.*); *v.* échanger

training *n.* entraînement (*n.m.*) *v.* entraîner

translate *v.* traduire

travel *v.* voyager

treat *v.* traiter

tribe *n.* tribu (*n.f.*)

trick *n.* tour (*n.m.*)

trip *n.* voyage (*n.m.*)

true *adj.* vrai(e)

trouble *n.* ennui (*n.m.*)

trousers *n.* pantalon (*n.m.*)

truly *adv.* vraiment

try *v.* essayer

turn *n.* tour; *v.* se tourner

t.v. set *n.* téléviseur (*n.m.*)

two by two *adv.* à deux

type *n.* genre (*n.m.*), sorte (*n.f.*)

U

under *prep.* sous

underline *v.* souligner

undertake *v.* entreprendre

unforturnately *adv.* malheureusement

unhappy *adj.* malheureux, malheureuse

understand *v.* comprendre

union *n.* alliance (*n.f.*)

upon *prep.* sur

us *pers. pron.* nous

usually *adv.* d'habitude, habituellement

use *n.* emploi (*n.m.*), usage (*n.m.*); *v.* employer, se servir de, utiliser

V

vacuum cleaner *n.* aspirateur (*n.m.*)

vegetable *n.* légume

very *adv.* tout à fait, très

view *n.* vue (*n.f.*)

visit *v.* fréquenter

visitor *n.* visiteur (*n.m.*), visiteuse (*n.f.*)

voice *n.* voix (*n.f.*)

volunteer *adj.* bénévole

vowel *n.* voyelle (*n.f.*)

W

wait *v.* attendre; **to wait for** *loc.* attendre

waiter *n.* serveur (*n.m.*), serveuse (*n.f.*)

wake *v.* (se) réveiller; **to wake up** *loc.* se réveiller

walk *n.* marche (*n.f.*), promenade; *v.* marcher, (se) promener

want *v.* vouloir

war *n.* guerre (*n.f.*)

warm *adj.* chaud(e); **to be warm** *loc.* avoir chaud; **in the warmth** au chaud

wash *v.* (se) laver

watch *v.* regarder; **watch over** surveiller

water *n.* eau (*n.f.*)

we *pers. pron.* nous

way *n.* façon (*n.f.*); **a long way** *adv.* loin

wear *v.* porter

weather report *n.* météo (*n.f.*)

week *n.* semaine (*n.f.*)

welcome *n.* accueil (*n.m.*), bienvenue (*n.f.*)

well *adv.* bien

what *adv.* quoi, *adj.* quel, quelle; **what's more** de plus

wheat *n.* blé (*n.m.*)

when *adv.* quand

where *adv.* où

which *pron.* lequel, laquelle, lesquels, lesquelles

whip *v.* fouetter

whipped *adj.* fouetté(e)

white *adj.* blanc, blanche

wish *v.* souhaiter

without *prep.* sans

witness *n.* témoin (*n.m.*)

who *pron.* qui, quel(le)

whole *adj.* entier, entière

why *adv.* pourquoi

wild *adj.* sauvage

win *v.* gagner

window *n.* fenêtre (*n.f.*)

winter *n.* hiver (*n.m.*)

with *prep.* avec

word *n.* mot (*n.m.*), parole (*n.f.*)

work *n.* travail (*n.m.*); *v.* travailler

worker *n.* travailleur (*n.m.*), travailleuse (*n.f.*)

world *n.* monde (*n.m.*) *adj.* mondial(e)

worry *v.* s'inquiéter

worse *adj.* pire

wrestling *n.* lutte (*n.f.*)

write *v.* écrire, inscrire, rédiger

writer *n.* écrivain (*n.m.*) écrivaine, rédacteur (*n.m.*), rédactrice (*n.f.*)

Y

year *n.* an (*n.m.*), année (*n.f.*)

yesterday *adv.* hier

you *pers. pron.* tu, vous, toi

yourself *pers. pron.* toi-même, vous-même

Index des références

Références bibliographiques

Illustrations

pp. 12–13 : Kevin Cheng; p. 25 : Tracey Wood; p. 35 : Steve MacEachern; pp. 36–37, 39–40 : VictoR GAD; pp. 43–44 : Kevin Cheng; pp. 46–47 : VictoR GAD; pp. 48–49 : Kevin Cheng; p. 50 : VictoR GAD; pp. 54–55 : Kevin Cheng; p. 59 : VictoR GAD; p. 61 : Steve MacEachern; pp. 66, 70, 90–91 : Tracey Wood; p. 92 : Craig Terlson; p. 93 : Tracey Wood; p. 97 : Craig Terlson; pp. 100–101 : Tracey Wood; pp. 104–105 : Craig Terlson; p. 111 : Steve MacEachern; p. 121 : VictoR GAD; pp. 122–124 : Tracey Wood; p. 126 : Craig Terlson; p. 137 : Steve MacEachern; pp. 138–140 : Craig Terlson; p. 141 : Kevin Cheng; p. 142 : Steve MacEachern; p. 146 : Craig Terlson; pp. 147–148 : Kevin Cheng; pp. 149, 151 : Craig Terlson; p. 152 : Kevin Cheng; p. 153 : Steve MacEachern; pp. 157–158, 160 : Craig Terlson; p. 161 : Kevin Cheng; p. 162 : Steve MacEachern; p. 167 : Kevin Cheng

Photographie

pp. 8–9, 11–12, 14, 16–18, 20, 23–24, 26–27, 29–31, 35–38, 41, 45–47, 51, 56–57, 60, 62–63, 65, 68–69, 75–76, 80, 83–85, 89, 94–95, 98, 105–107, 116, 117–119, 121–124, 131–132, 134, 144, 146, 166 : Ray Boudreau

Photos

p. 7 : Digital Vision; pp. 10–11, 16–17 : *Netscape Communicator browser window© 1999 Netscape Communications Corporation. Used with permission. Netscape Communications has not authorized, sponsored, endorsed, or approved this publication and is not responsible for its content*; p. 21 : Superstock Fine Arts; p. 22 : Michael Mahovlich/Masterfile, Ivy Images, Digital Vision, Netscape; p. 23 : Netscape, Dick Hemingway, Digital Vision; p. 27 : Digital Vision; p. 28 : Daniel Ouellette/Publiphoto, Frederick G. Cattroll/Ivy Images, Klein/Hubert/BIOS/Publiphoto, Jeff Greenberg/Ivy Images, Ivy Images, Rosenfeld Images Ltd./Science Photo Library/Publiphoto; p. 29 : Netscape; p. 33 : H. Gyssels – DIAF/Publiphoto; p. 35 : Digital Vision; p. 53 : Michel Gauthier/Les Filles de Caleb; p. 61 : Digital Vision; pp. 61–63 : L'Express; p. 72 : Denis Boissavy/Masterfile, LWA – D. Tardif/Masterfile; p. 73 : Neil Hokan/Ivy Images, Larry Williams/Masterfile; p. 74 : Linton/Ivy Images; p. 78 : Joe McDonald/Animals Animals; p. 79 : Gail Harvey/The Terry Fox Foundation; p. 81 : Ivy Images, Rommel/Masterfile; p. 87 : L'Express; p. 89 : Digital Vision; p. 98 : KPT Power Photos; p. 109 : Regards/Publiphoto; p. 111 : Digital Vision, Les Débrouillards – décembre 1999, Le magazine *Québec Science*; pp. 112–113 : Les Débrouillards, Québec Science, L'actualité – janvier 2000 (Éditions Rogers Media) ; p. 114 : Al Harvey, E. Bernager/Publiphoto; p. 115 : C. Goldie/First Light, Bildagentur Schuster/Müller/Publiphoto, CP Picture Archive (Frank Gunn); p. 120 : First Light; p. 127 : Jim Cummins/Masterfile, Garry Black/Masterfile, T. Stewart/First Light, Ariel Skelley/First Light, LWA – D. Tardif/First Light, DiMaggio/Kalish/First Light; p. 129 : Y.C.L. – TCL/Masterfile; p. 131 : Corel; p. 137 : Digital Vision; p. 150 : Hergé/Publiphoto; p. 159 : Gaudenti/Kipa/Publiphoto

Les éditeurs ont tenté de retracer les propriétaires des droits d'auteurs de tout le matériel dont ils se sont servis. Ils acceptent avec plaisir toute information qui leur permettra de corriger les erreurs de références ou d'attribution.

Nous tenons à remercier tout particulièrement Leona Woods, directrice à l'école secondaire Iroquois Ridge.